El pensamiento
de Antonio Machado

Tercera
edición

Sección: Crítica y ensayo (poesía)
Número: 179.

A. Sánchez Barbudo:
**El pensamiento
de Antonio Machado**

Ediciones Guadarrama
Colección
Universitaria
de Bolsillo
**Punto
Omega**

PUNTO
OMEGA

Portada: Estudio R. & S.
Printed in Spain

© **Ediciones Guadarrama, S. A.** Madrid, 1974
Distribuidor en exclusiva: **Editorial Labor, S. A.**
Depósito legal: M. 19.642-1974
I.S.B.N. 84-250-0179-X
Impreso en: Tordesillas, O. G. Sierra de Monchique, 25. **Madrid**

Nota de los editores

En este libro de Antonio Sánchez-Barbudo se estudia la parte más oscura y menos conocida de la obra de Antonio Machado: la que contiene su pensamiento filosófico.

Se trata de aclarar lo que Machado —en verso y prosa, en burla y muy en serio— escribe sobre diversos temas: «el otro» y Dios, la «heterogeneidad del ser» y el solipsismo, el ser y la nada, la «poesía temporal», etcétera. Y también de determinar la relación que hay entre estos temas, que llegan a constituir un pensamiento muy original e importante, complemento de su poesía. Lo que Machado intenta es una filosofía «basada en el valor revelador de la poesía», y es como «un comentario a su mejor poesía».

La importancia de las intuiciones y reflexiones de Machado sólo puede valorarse adecuadamente cuando se sitúa su pensamiento en el marco de la filosofía de su tiempo. Por eso en esta obra se trata muy especialmente, con claridad y rigor, de precisar la relación —parecidos, influjos, diferencias— de las ideas de Machado con las de ciertos famosos contemporáneos suyos: Bergson, Husserl, Jaspers, Scheler, y sobre todo Heidegger, con quien

Machado coincide, y a quien definitivamente se adelanta, en un punto básico.

Sobre *El pensamiento de Antonio Machado* no hay obra más cómpleta, más minuciosa o documentada, ni en que mejor se expliquen los textos, que la que publicamos ahora por primera vez en «*Punto Omega*». Se publicó primero en revistas, en Estados Unidos y en Buenos Aires, y apareció en dos ediciones de los *Estudios...* de su autor que presentó Ediciones Guadarrama. Pero esta es la primera vez que aparece por separado y en forma de libro.

Antonio Sánchez-Barbudo, autor también, entre otras obras, de *Los poemas de Antonio Machado,* es profesor de literatura española contemporánea en la Universidad de Wisconsin (U.S.A.). Durante la guerra española fue uno de los fundadores, y el primer secretario de redacción de la revista *Hora de España,* en la que Machado, en 1937 y 1938, colaboró regularmente, y donde publicó sus últimos poemas y **pensamientos**.

1. Oscuridad de los escritos filosóficos de A. Machado

Los lectores de las *Poesías completas* de Antonio Machado suelen pasar por alto el apéndice —ese desconcertante «Cancionero apócrifo»— que aparece agregado a las poesías a partir de la edición de 1928. Esas pocas y enigmáticas páginas en prosa y verso contienen, sin embargo, las principales ideas filosóficas de Machado, las mismas que él repetiría luego, aclarándolas a veces un poco, en ciertos fragmentos de su libro de prosas *Juan de Mairena*[1]. De esas ideas, en modo alguno insignificantes, como vamos a ver, y de la relación de éstas con su poesía nos vamos a ocupar en este estudio.

La oscuridad de los escritos filosóficos de Machado —en contraste con la honda claridad de *Campos de Castilla* o *Soledades*— es sin duda la causa de que no hayan sido hasta ahora más leídos o comentados. En los últimos años no han faltado críticos que se refirieran a la importancia del escondido pensamiento del poeta, pero nadie ha osado decir en qué consistía éste. No se ha intentado hasta ahora trazar con algún rigor, siquiera sea en esbozo, sus líneas principales. A menudo se ha citado de aquí y de allá, pero sin esclarecer casi nunca el sentido de esas citas, y, sobre todo, sin tratar de hallar una conexión entre éstas, el hilo de un verdadero pensamiento. Se ha estudiado algo el indudable influjo en Machado de Bergson, y se ha aludido a la relación entre su pensamiento y el de Husserl, Scheler o Heidegger, pero se ha precisado muy poco. Los que se refieren al parecido con este último —cosa que el propio Machado insinúa— olvidan siempre algo importantísimo: que Machado se adelanta definitivamente a Heidegger en algún punto esencial, y no ya con sus poesías, como suele decirse, sino con lo que escribe en el apéndice, con sus prosas filosóficas. La verdad es que de lo que Machado dice en esas prosas poco se ha entendido. Explícitamente declaran no entenderlo los mismos críticos que más han contribuido a que se le comprenda, a la vez que reconocían que un muy necesario estudio de su pensamiento está todavía por hacer.

Yo no creo haber hecho un estudio definitivo, ni mucho menos; pero sí creo poder explicar casi siempre lo que Machado dice y por qué lo dice. Esto no quiere decir que todo esté claro. En Machado, como en otros pensadores, hay, creo yo, dos formas de oscuridad: una externa, que puede llegar a disiparse, con paciencia y esfuerzo, hasta llegar a saber lo que el pensador dice; y otra íntima, que resulta insuperable, pues parece inherente a aquello mismo que se dice. Claro es que bien pudiera suceder, y de hecho ocurre a menudo, que lo que parece oscuridad íntima sea tan sólo oscuridad externa, de la apariencia, un velo más que el crítico no ha podido arrancar. La oscuridad última puede estar desde luego en la cabeza del crítico o comentarista; mas es indudable que a veces está en la idea misma, desvelada, tal como aparece; bien porque ésta es oscura de por sí o porque el filósofo que se estudia no ha acabado de pensarla con toda claridad. Se dirá que ambas oscuridades, externa e íntima, van siempre juntas, que el que piensa claramente expone con claridad. No lo niego. Pero es evidente, por otra parte, que en Machado la oscuridad externa parece casi siempre voluntaria, fruto de su humorismo, así como del desorden consciente con que expone sus ideas. Fruto de su escepticismo, diríamos,

8

de ese «apasionado escepticismo» que Mairena siempre predicaba. «Yo os aconsejo, más bien, una posición escéptica frente al escepticismo», decía Mairena (p. 526). Y más adelante: «... no toméis demasiado en serio nada de cuanto oís de mis labios, porque yo no me creo en posesión de ninguna verdad que pueda revelaros» (página 689). Y al comenzar el volumen II de *Juan de Mairena:* «Aprende a dudar, hijo, y acabarás dudando de tu propia duda» (p. 276). La duda que él recomendaba, como aún veremos, no era la duda «metódica», sino la «duda poética, que es duda humana» (p. 737).

Cabe preguntarse: ¿Por qué el constante tono humorístico en esas prosas, que en modo alguno tratan de cosas banales o risueñas? Tal vez procede, en parte, de la conciencia que Machado tenía de la oscuridad propia de los problemas a los cuales se enfrentaba. Diríase que él contemplaba siempre a distancia, irónicamente, sus propias ideas, a menudo entrañables ideas, como si no acabara de creer en ellas. Su humor parece proceder de su escepticismo. Sus ideas filosóficas las expone casi siempre como en broma, o al menos con un dejo de humor; y generalmente habla por boca del pintoresco filósofo Martín, o del discípulo de éste, el profesor Mairena, por boca de esos personajes por él inventados, lo cual le permite agregar a veces un comentario irónico, y en todo caso librarse de la posible acusación de dogmatismo. Pero además de escéptico, Machado era modesto, tímido, y el humor en él es también una como defensa contra el pudor. Muy al contrario de Unamuno, a quien él tanto admiraba, a toda costa rehuía el tono grandilocuente al hablar de aquellos problemas que en verdad tanto le preocupaban. Y como por otra parte, por su misma modestia sin duda, no osaba expresar su pensamiento sino por medio de simples notas o comentarios, en modo alguno quería presentar esos apuntes —tan llenos de atisbos magníficos, sin embargo— en forma que pudiera parecer solemne o pretenciosa, y por ello ironizaba también.

Procedía, pues, su humor, creemos, de la oscuridad misma de los problemas que trataba, o al menos de un sentimiento de incapacidad para ver algunos de éstos con completa claridad; de su escepticismo y de su modestia. Tres causas que en el fondo no son, seguramente, sino tres aspectos de lo mismo. Pero sea por lo que fuere, existe ese humor, y éste es sin duda la causa principal de esa oscuridad chocante y como buscada de sus escritos filosóficos; oscuridad externa, voluntaria, que es independiente de esa otra oscuridad última que pudiera haber, y que yo creo hay en ellos en algún momento, sobre todo, cuando se trata de la «metafísica» de Abel Martín y de Mairena. Con esa oscuridad última ya nos toparemos, a nuestro pesar. Pero en cuanto a la otra, la debida al humor, así como la debida al desorden en que aparecen a veces expuestas sus ideas, hemos tratado en lo posible de eliminarla, y por ello ni de humor ni de desorden hablaremos ya demasiado al intentar precisar *cuáles son los temas centrales de su pensamiento y qué relación puede haber entre ellos, así como entre éstos y su poesía.* Y a la vez señalaremos también la relación de ese pensamiento de Machado con ciertas importantes ideas y tendencias del pensamiento filosófico contemporáneo —lo cual sólo podemos hacer, claro es, en la medida que alcancen nuestros conocimientos—, pues sólo de este modo, creemos, se advierte la importancia del contenido del apéndice y de los apuntes posteriores que «para entretenimiento de los desocupados del porvenir» nos dejó el gran poeta.

2. El impulso hacia «el otro» y hacia «lo otro»

Machado era un solitario inconforme con su soledad. Su pensamiento, y a menudo su corazón, se dirigían hacia «lo otro», el mundo fuera de él tanto como el más allá; hacia «el otro» y hacia Dios. Creía él que sólo gracias al «otro» puede uno llegar a ser uno mismo, a adquirir plena conciencia de sí. Esta idea constituye, como vamos a ver, uno de los temas centrales de su pensamiento. Ya en *Soledades* cantaba:

> Moneda que está en la mano
> quizá se deba guardar;
> la monedita del alma
> se pierde si no se da (p. 98).

Casi treinta años después escribía en el apéndice que una de las obras del supuesto Abel Martín era *De lo uno a lo otro,* título que expresaba muy bien la tendencia de la filosofía toda del extravagante sevillano, así como sin duda expresa la del propio Machado. Al disponerse a exponer esa filosofía martineana, Machado nos advierte: «Su punto de partida está, acaso, en la filosofía de Leibnitz» (p. 354). Esto ha de ser tomado en serio. No pocas oscuras líneas de ese apéndice, y otras, se entienden mucho mejor teniendo en cuenta al filósofo de las mónadas.

Concebía Leibnitz las almas como unidades o mónadas, solitarias, sin contacto alguno con lo exterior: «Las mónadas no tienen ventanas por las que algo pueda entrar o salir» (*La Monadologie,* 8). Una mónada no ejerce influencia sobre otra, ya que «una sustancia *particular* no obra nunca sobre otra sustancia *particular*» (*Discours de Métaphysique,* 14). Cada una de nuestras ideas, y aun cada una de nuestras percepciones, se encuentra ya de modo latente dentro de nosotros, pues «Dios ha creado originariamente el alma... de tal suerte que todo nazca en ella de su propio fondo». Esto no quiere decir que se niegue la existencia del mundo exterior. Leibnitz parte de la idea de que el mundo, cada una de las mónadas, ha sido creado por Dios. Lo que pasa es que, gracias a una «armonía preestablecida», existe una «concordancia» entre las percepciones de cada una de las mónadas, percepciones internas y sólo internas, y lo que ocurre fuera de ellas, y así llegando al alma las percepciones de las cosas exteriores en el momento preciso... habrá un acuerdo perfecto entre todas esas sustancias, que produce los mismos efectos que se advertirían si comunicasen unas con otras» (*Syst. nouv. de la nature,* 14). Mas, aparte esa «hipótesis de las concordancias», el énfasis lo pone Leibnitz en la soledad de las mónadas que sólo comunican con Dios; y en el dinamismo de éstas, ya que, como dice en su *Teodicea,* cada una lleva consigo «no solamente una simple facultad activa, sino lo que pudiera llamarse *fuerza, esfuerzo, conato*» (cf. *La Monadologie,* ed. C. Piat [París, 1900], p. 101, nota). Cada mónada tiene «apetición», ansia de más y más claras percepciones.

Esta idea de la soledad y de la actividad interna de la mónada es lo que interesa a Machado. Un eco indudable de Leibnitz (y a la vez, según luego se verá, también de Bergson, quien concebía el *ser* como algo cambiante, fluyente) hay en estas líneas del apéndice: «El ser es pensado por Martín como conciencia activa, quieta y mudable, esencialmente heterogénea, siempre sujeto, nunca objeto pasivo de energías extrañas. La sustancia, el ser que todo lo es al *serse* a sí mismo, cambia en cuanto es actividad constante, y permanece inmóvil, porque no existe energía que no sea él mismo, que le sea externa y pueda moverle» (p. 375).

Y más solitaria aún que la de Leibnitz es la mónada martineana, pues a ésta Dios no la ilumina. Para Leibnitz: «... no hay causa externa que actúe sobre nosotros, excepto Dios... no tenemos en nuestra alma la idea de todas las cosas sino en virtud de la acción continua de Dios sobre nosotros... Dios es el sol y la luz de nuestras almas» *(Discours, 28)*. Como estas ideas, sin embargo, están en el fondo de nosotros, puede decirse que la razón es la fuente inmediata de ellas, aunque Dios sea la fuente última; y por eso se habla en Descartes, como en Leibnitz, de «racionalismo *inmanente*, en oposición al teológico y trascendente», es decir, en oposición a la «forma plotiniano-agustiniana del racionalismo» que consiste en «la teoría de la iluminación divina» (cf. J. Hessen, *Teoría del conocimiento,* trad. I. Quiles [Buenos Aires, 1940], p. 58). De todos modos, para Leibnitz las mónadas están a solas con Dios; mas para Martín las mónadas están solas consigo, completamente solas. Esto es fundamental, pues como veremos, todo el esfuerzo de Machado consistirá en tratar de encontrar escape de esta prisión, consuelo en esta soledad; y cuando desespera, tratar de adquirir, al menos, plena conciencia de esta trágica soledad.

Como para Martín «Dios no es el creador del mundo, sino el creador de la nada» (p. 374), es decir, como para él no hay verdadero Dios —punto éste del cual pronto nos ocuparemos más detenidamente— y como, por otra parte, él no trata de establecer un sistema, sino tan sólo situarse en el punto de vista de la mónada, no necesita recurrir a la extraña hipótesis de la armonía preestablecida. Para Leibnitz, teniendo que coincidir el mundo exterior con el de la mónada, y siendo internas las percepciones de ésta, la mónada ha de ser concebida

13

como «espejo viviente o provisto de acción interna, representativo del universo, según su punto de vista, y tan arreglado como el universo mismo» (*Principes de la nature et de la grâce*, 3). Para Martín, en cambio no hay tal espejo. La mónada no refleja nada, sino a sí misma. Y si trata alguna vez de concebir el universo, lo concibe, con rasgos definitivamente panteístas, como una gran mónada de la cual cada una de las individuales mónadas son parte. Y por eso escribe, al principio del apéndice:

«No sigue Abel Martín a Leibnitz en la concepción de las mónadas como pluralidad de sustancias. El concepto de pluralidad es inadecuado a la sustancia. Cuando Leibnitz —dice Abel Martín— supone multiplicidad de mónadas y pretende que cada una de ellas sea el espejo del universo entero, no piensa las mónadas como sustancias, fuerzas activas conscientes, sino que se coloca fuera de ellas y se las representa como seres pasivos que forman por refracción, a la manera de los espejos, que nada tienen que ver con las conciencias, la imagen del universo. La mónada de Abel Martín, porque también Abel Martín habla de mónadas, no sería ni un espejo, ni una representación del universo, sino el universo mismo como actividad consciente... Esta mónada puede ser pensada, por abstracción, en cualquiera de los infinitos puntos de la total esfera... pero en cada uno de ellos sería una autoconciencia integral del universo entero. El universo pensado como sustancia, fuerza activa consciente, supone una sola y única mónada, que sería como el alma universal de Giordano Bruno» (pp. 355-356).

Poco tiene que ver, desde luego, esa «sola y única mónada», ese «alma universal», con el mundo de Leibnitz, mundo de mónadas diversas creadas todas por Dios. La diferencia es grande, y se basa en haber Martín eliminado a Dios. Pero, en todo caso, el objeto principal de la meditación de Machado no es en modo alguno el «alma universal», sino el alma individual. Lo que a él le interesa son esos «infinitos puntos» de la total

14

esfera; y, sobre todo, naturalmente, ese insignificante punto aislado que resulta ser él. Lo que Machado, en suma, acepta de Leibnitz, esto es, la idea de la mónada, y lo que de él rechaza, la hipótesis de un Dios armonizador, más claramente que en el apéndice se ve cuando, años después, al comenzar *Juan de Mairena,* escribe: «El alma de cada hombre —cuenta Mairena que decía su maestro— pudiera ser una pura intimidad, una mónada sin puertas ni ventanas, dicho líricamente: una melodía que se canta y se escucha a sí misma, sorda e indiferente a otras posibles melodías —¿iguales?, ¿distintas?— que produzcan las otras almas. Se comprende lo inútil de una batuta directora. Habría que acudir a la genial hipótesis leibnitziana de la armonía preestablecida. Y habría que suponer una gran oreja interesada en escuchar una gran sinfonía. ¿Y por qué no una gran algarabía?» (p. 448).

Ahora bien, lo que Machado dice constantemente en el apéndice, y había dicho antes, y diría después, en *Juan de Mairena,* aunque no lo diga en las líneas que acabamos de citar, es que la mónada *no* debe ser «sorda e indiferente» a otras melodías, a otras almas. Y de hecho no lo es, porque la *mónada de Martín, aunque solitaria, aún más solitaria que la de Leibnitz, es mónada «fraterna» y ansiosa de lo otro.* Su actividad consiste en buscar «lo otro», lo que ella no es; aunque ese *otro* resulte luego ser una proyección del propio ser, un «reverso» del ser. Y en esto consiste el trágico «erotismo» de Martín, y en eso consiste la «heterogeneidad del ser». Lo que Machado hace es incitarnos a amar a ese *otro* que aparece ante nosotros, exista en verdad o no. Pruebas de esto que ahora decimos se darán en seguida. Sólo queríamos comprender por qué indica Machado, al comenzar a explicar la filosofía de Abel Martín, que «su punto de partida» está, acaso, en la filosofía de Leibnitz.

Y ahora se comprenderá por qué después de haber hablado de la mónada de Abel Martín, diferenciándola de la de Leibnitz, y de haber nombrado a Giordano Bruno, a continuación se citan los primeros versos del libro de Martín, *Los Complementarios,* que al parecer no vienen en modo alguno a cuento. Los versos son éstos:

> Mis ojos en el espejo
> son ojos ciegos que miran
> los ojos con que los veo.

El alma no es espejo; el espejo está fuera, porque al mirar hacia fuera no vemos, en realidad, sino a nosotros mismos. Por eso los ojos son «ciegos», y no ven más que los propios ojos. Con esto se alude a la mónada de Leibnitz, y a la de Martín, cuyas percepciones las extrae ésta de sí misma. A continuación Machado advierte que Martín hace constar que publica esos «tres versos, los primeros que compuso», no obstante «su aparente trivialidad o su marcada perogrullez, porque de ellos sacó más tarde, por reflexión y análisis, toda su metafísica» (p. 356). Y luego, sin más explicaciones, se da «la segunda composición del libro», esa que más tarde Machado califica de «insondable solear». Y es que, en efecto, aun siendo versos muy malos, versos de metafísico, y aun más perogrullescos que los anteriores, contienen, en esencia, lo que es clave de un aspecto principal de la filosofía de Machado: la necesidad del amor. Son éstos:

> Gracias, Petenera mía;
> por tus ojos me he perdido:
> era lo que yo quería.

En la página siguiente, como prueba de que Martín era un «hombre en extremo erótico» se citan algunos otros versos suyos, como los siguientes: «La mujer / es el anverso del ser»; o éstos en los que, reaccionando contra el frío intelectualismo en filosofía (lo que, como veremos, es típico del apéndice), y exaltando el amor como medio de conocimiento, escribe no que las cosas son, como en Platón, copias de las ideas, sino que

> Sin el amor, las ideas
> son como mujeres feas,
> o copias dificultosas
> de los cuerpos de las diosas.

Habla luego de un *otro,* «objeto, no de conocimiento, sino de amor», y agrega: «El amor comienza a revelarse como un súbito incremento del caudal de vida, sin que, en verdad, aparezca objeto concreto al cual tienda» (página 359). En las páginas que siguen (359-366), donde se alude al libro de Martín *De lo uno a lo otro,* se hace aún una exaltación del amor, y no del amor místico, sino del amor al mundo sensible, aunque este mundo sea «a fin de cuentas, aparencial» (p. 363). El mismo sentido de invitación al amor tienen algunos otros poemas que se incluyen entre la prosa, como el soneto «Rosa de fuego», que tiene el mismo tema —*carpe diem*— del famoso soneto de Garcilaso *En tanto que de rosa y azucena...* El poema que sigue termina con estos versos:

> ¡Y cómo aquella ausencia en una cita,
> bajo los olmos que noviembre dora,
> del fondo de mi historia resucita!

Abel Martín advierte: «No se interprete esto en un sentido literal.» Y el propio Machado comenta: «El poeta no alude a ninguna anécdota amorosa de pasión no correspondida o desdeñada. El amor mismo es aquí un sentimiento de ausencia... El poeta, al evocar su total historia emotiva, descubre la hora de la primera angustia erótica. Es un sentimiento de soledad...» (página 364). Alude Machado, creo yo, a una particular experiencia: sentimiento de la imposibilidad del amor, sentimiento de irremediable soledad, al que aún nos referiremos [2].

Sigue luego el poema que empieza: «*Nel mezzo del camin* pasóme el pecho / la flecha de un amor intempestivo...» en el que, probablemente, se refiere a su esposa Leonor, más bien que a *Guiomar,* el gran amor de los últimos años de Machado, a quien debió conocer por la época en que escribía esas líneas, o poco después [3].

Comentando los últimos, muy oscuros, versos de ese poema, trata de la posibilidad de que el amante renuncie «a cuanto es espejo en el amor», y así comience

17

«a amar en la amada lo que, por esencia, no podrá reflejar nunca su propia imagen»; es decir, trata de la necesidad de amar verdaderamente, y no de amarse uno mismo en el otro. Y entonces termina toda esa aparente digresión sobre el amor comentando: «Toda la metafísica, y la fuerza trágica de aquella su insondable solear *Gracias, Petenera mía...* aparecen ahora transparentes o, al menos, translúcidas» (p. 366).

La solear martineana, en efecto, aparece ahora bastante clara, y más si se tiene en cuenta la copla que se lee al final de la segunda parte del apéndice, esa que forma la «máquina de trovar», que es ésta:

> Dicen que el hombre no es hombre
> mientras que no oye su nombre
> de labios de una mujer.
> Puede ser (p. 410).

Esa máquina de trovar, invención de un tal Meneses, que la presenta a Mairena, es, se nos dice, un aparato que en espera de los poetas del mañana, que no serán narcisistas ni barrocos como los poetas de hoy, reproduce el pensamiento dominante del grupo humano ante el cual se hace funcionar. La copla citada, que se ofrece como ejemplo de lo que el aparato puede hacer, es la que éste canta ante un grupo de borrachos andaluces, y obviamente tiene el mismo sentido, o muy parecido, que la solear martineana.

La mónada, pues, viene a decir Martín, aunque en forma pintoresca, es una mónada amante, necesitada del otro, de la otra, más bien, en este caso. Pero es además —lo cual, claro es, no contradice lo anterior— una mónada fraterna, o debe serlo. Era una obsesión de Machado desde principios de siglo que el poeta —la mónada que expresa sus sentimientos— debería expresar sentimientos compartidos; debería mirar a los otros, y no sólo a sí mismo. Dice Meneses, justificando la necesidad de la máquina de trovar:

«La lírica moderna, desde el declive romántico..., es acaso un lujo, un tanto abusivo, del hombre manchesteriano... El poeta exhibe su corazón con la jactancia

18

del burgués enriquecido..., el sentimiento ha de tener tanto de individual como de genérico, porque aunque no existe un corazón en general, que sienta por todos, sino que cada hombre lleva el suyo y siente con él, todo sentimiento se orienta hacia valores universales, o que pretenden serlo. Cuando el sentimiento acorta su radio y no trasciende del yo aislado, acotado, vedado al prójimo, acaba por empobrecerse y, al fin, canta de falsete... Un corazón solitario... no es un corazón; porque nadie siente si no es capaz de sentir con otros, con otros..., ¿por qué no con todos?» (pp. 404-405).

Pero de acuerdo con esto, y aunque Martín coincida con Meneses en la importancia del otro, ¿no habrían de rechazarse como excesivamente subjetivas ciertas «rimas eróticas»? Y con más razón aún habrían de rechazarse no pocos de los mejores poemas de *Soledades*. Cierto que Meneses no condena la expresión del sentimiento individual sino cuando éste acorta su radio «y no trasciende». Mas no suele ser fácil decidir cuándo esto ocurre y cuándo no. En la duda, pensó Machado más de una vez, mejor abstenerse de lo íntimamente subjetivo; mejor dirigir la mirada hacia fuera, hacia la naturaleza, y contemplar a los otros. Por eso él, en cierta ocasión, rechazó sus *Soledades*. En el prólogo a la segunda edición de esta obra, en 1919, escribía refiriéndose a la época, hacia 1900, en que la compusiera, que por entonces «la ideología dominante era esencialmente subjetivista» y que él, como los demás poetas, «sólo pretendía cantarse a sí mismo»; e insinuando que había ya cambiado de propósito (había en verdad cambiado desde la época, hacia 1910, en que escribiera *Campos de Castilla),* agrega: «Amo mucho más la edad que se avecina... cuando una tarea común apasione las almas» (pp. 33-34).

Las poesías de *Soledades* evidentemente trascienden: son algo más, mucho más que un mero cantarse a sí mismo. Hechas de esenciales recuerdos de los cuales el poeta había olvidado lo anecdótico, como el propio Machado en otra ocasión decía, suponen la creación de un mundo poético objetivo —el jardín, la fuente, el limonero...— gracias al cual transmite la emoción contenida en su recuerdo. Y esa emoción, la del alma que asombrada se contempla a sí misma, que contempla sus recuerdos, es esencialmente humana. Machado ahí, en los mejores poemas de *Soledades,* no se canta sólo a sí mismo, sino que canta la melodía de todas las almas. El sabía esto. Pero lo que nos importa hacer constar es que si, a pesar de ello, en alguna ocasión condena esas poesías, lo hace tan sólo movido por un noble anhelo de fraternidad, por una viva ansia de comunión con otros hombres, que es algo característico de Machado, tan característico como su honda soledad.

No hay, pues, oposición verdadera entre ese «otro», objeto de amor, de que Martín habla, y ese «otro» concebido como ser fraterno, como el prójimo, con cuyos sentimientos hemos de comulgar, a que se refiere Meneses. Simplemente sucede que el objeto de amor erótico se transforma, a veces, en objeto de caridad, en el sentido cristiano; o, al menos, el sentimiento de amor, en el sentimiento de ir acompañado de otros, de comulgar con otros. Esto explica el interés que Machado, el hondo e íntimo poeta, el melancólico poeta, tenía por los problemas políticos y sociales; cosa que a no pocos ha extrañado, y que alguno ha creído, contra toda evidencia, era en él un interés circunstancial, ajeno a su verdadera personalidad.

En 1934, en un artículo no recogido hasta hace poco en volumen, se refería Machado mismo, y no ya Meneses, a la posibilidad de una nueva lírica, y preguntaba: «¿Cabe una comunión cordial entre los hombres que nos permita cantar en coro, animados de un mismo sentir?» Para ello se necesitaría, agregaba, un «fundamento metafísico», y ya que «una fe religiosa parece ser cosa difícil en nuestro tiempo», ese fundamento, piensa él, bien pudiera ser «creer que existe el prójimo» —*creer* en el prójimo, como aún vamos a ver, en el sentido de tener a éste en cuenta, de adoptar con respecto a él una actitud moral— y no encerrarse en sí mismo concibiendo las almas como «mónadas cerradas». El «prójimo» podría llegar a ser, acaba diciendo, «una realidad espiritual trascendente…, en la cual éstas [mónadas aisladas] pudieran comulgar».

Meses después, en otro artículo, incluido éste en *Juan de Mairena,* escribía: «La concepción del alma humana…, como mónada cerrada y autosuficiente…, y la fe solipsista que la acompaña, se encontrarán un día en pugna con la terrible revelación del Cristo: 'El alma del hombre no es una entelequia, porque su fin, su *telos,* no está en sí misma. Su origen, tampoco.' Como mónada filial y fraterna se nos muestra… el yo cristiano, incapaz de bastarse a sí mismo, de encerrarse en sí mismo…, como revelación muy honda de la incurable 'otredad de lo uno', o, según expresión de mi maestro, 'de la esencial heterogeneidad del ser'» (p. 655).

El espíritu fraterno de la mónada viene a ser, pues, como un aspecto de esa varia «otredad» que según Martín es propia de ella, un aspecto de la heterogeneidad que es propia del alma, o sea, un aspecto *De la esencial heterogeneidad del ser,* que es el título de una de las obras suyas, a menudo citado por Machado. En una nota de *Los Complementarios,* de 1915, ya se refería Machado a «la radical heterogeneidad del ser», pues éste era «vario (no *uno*) cualitativamente distinto» (cf. *Cuad. Hisp.,* núm. 20, pp. 175-177). Habla ahí, sin duda, por influjo de Bergson, como luego vamos a ver, de *heterogeneidad* en oposición a *homogeneidad,* esto es, de una concepción heracliteana del ser —como algo cambiante, fluyente— en oposición a la concepción de Parménides del ser como una «esfera maciza» e inmutable. Mas si al principio, antes de escribir el apéndice, ésa es al parecer la única significación que tiene lo de la «heterogeneidad del ser» a que él se refiere, luego, como se ve en la cita que acabamos de incluir en el texto, y se verá otras muchas veces, al hablar de «heterogeneidad del ser», sin negar el sentido anterior, se indica también, y sobre todo, la incurable «otredad de lo uno»: el ansia de amor de la persona, que no es sino parte de una general corriente erótica, de una «otredad» o «heterogeneidad» del ser en general. «Heterogeneidad» indica, pues, tanto el carácter cambiante del ser como el *eros* que constante y hondamente agita a éste. «En el 'eros' está el 'foco' (como dice felizmente Schopenhauer) de todo impulso vital..., impulso que muy falsamente identifica con una 'voluntad ciega'», escribe Scheler en su obra *Esencia y formas de simpatía* que, como pronto vamos a ver, tiene cierta relación con lo que sobre el amor Machado escribe, y la cual él tal vez conocía antes de escribir el apéndice.

Obsérvese que Machado se refiere generalmente a la otredad del alma, al ansia de lo otro, al impulso hacia los otros, como un hecho, como a algo que es propio de la mónada; y, al mismo tiempo, constantemente se refiere a la *necesidad* de ese otro, para nosotros. Es decir, parece incitarnos a que nos comportemos de un modo que, según él, ya el hombre naturalmente se comporta. Pero no hay en esto tampoco, probablemente, inconsistencia alguna. Él nos incita a practicar ese amor hacia el cual naturalmente tendemos, pero que a menudo, por una u otra causa, en verdad no practicamos, o no practicamos como debiéramos. Nos incita a alcanzar formas más altas y puras, más vivas de amor. Y este consejo no es nada superfluo, sobre todo para el filósofo, para aquel que un día se siente preso en su soledad al descubrir que el otro, como toda percepción del mundo externo, independientemente de que en verdad exista o no, es un contenido de nuestra conciencia, algo que pertenece a nosotros mismos, que está dentro de nosotros. Este es el punto de vista de Leibnitz, en el fondo, y es el de Machado también —como ya hemos indicado y aún veremos—, y no es, por tanto, superfluo decir que para ser nosotros mismos, para salvarnos de la soledad, hemos de estimular nuestra tendencia al amor, aunque ese objeto de amor lo descubramos en el fondo de nosotros, juntamente con nuestra ansia de él; esto es, aunque la existencia del otro sea en último término aparencial, y el amor, por tanto, en último término «imposible», como el propio Martín dice.

La otredad de la mónada, decíamos, se refiere no sólo al otro, sino también a «lo otro», a lo que ella no es. Para Mairena la «voluntad de vivir», en el hombre, «no es un deseo de perseverar en su propio ser». Y diciendo esto recuerda sin duda ese famoso «conato» de que habla Spinoza, y que tanto impresionó a Unamuno, es decir, se alude a esa «voluntad», según la cual «toda cosa, en cuanto es, tiende a perseverar en su ser» (*Eth.*, III, vi). Esa voluntad de vivir, dice Mairena (recordando probablemente la *apetición* de la mónada de Leibnitz, esa tendencia hacia más y más altas percepciones) es «más bien» un deseo «de mejorarlo». Y entonces agrega: «El hombre quiere ser otro. He aquí lo específicamente humano..., su mónada solitaria no es nunca pensada como autosuficiente, sino como nostálgica de lo otro, paciente de una incurable alteridad» (pp. 688-689). Y vemos que ahí no se alude ya a la necesidad del otro, del objeto de amor; o de los otros, del prójimo, del objeto de caridad, sino a la nostalgia «de lo otro», entendida como un querer ser lo que no se es, más de lo que se es. Y es que ansia de amor, caridad o fraternidad no son, tal vez, sino aspectos de un fundamental anhelo, de una «incurable alteridad» que a quien en último término se refiere es a Dios.

La mónada de Martín no es, a fin de cuentas, muy diferente de la de Leibnitz, pues si de la concepción de éste se suprimió a Dios, supone luego Martín, en su mónada, una «otredad» que no es, al parecer, sino nostalgia de Dios. La mónada de Martín, decíamos ya antes, es la mónada de Leibnitz sin Dios, y todas las demás diferencias se derivan de esa diferencia fundamental. Nos ocuparemos, pues, más detalladamente del problema de Dios en Antonio Machado; pero antes queremos indicar que esta preocupación por el otro, ese reconocer la necesidad que de él tenemos, y aun ese hablar de la otredad del alma en general, acerca su pensamiento al de varios conocidos filósofos contemporáneos, muy especialmente al de Jaspers, a quien Machado se adelanta; y le acerca a Scheler, de quien probablemente tenía él alguna influencia, así como también, en cierto modo, a Husserl y otros.

3. El «otro» en la filosofía contemporánea

Lo que Jaspers dice con respecto al «otro» puede verse en el volumen II de su *Philosophie,* el titulado *Existenzerhellung* (Berlín, 1932), especialmente el capítulo III, que trata de la «Kommunikation» (pp. 50-117). Su punto de vista, en cuanto al tema que aquí nos interesa, lo resumen así unos autorizados críticos: «Sé el que eres. Pero yo no puedo ser yo mismo sino con el concurso de los otros: tal es la paradoja de la comunicación y su dignidad singular... En el seno mismo de mi libertad se halla inscrita la presencia del otro.» Y también: «El problema de mi relación con otro adquiere una apariencia ética que no excluye en modo alguno su significación metafísica al advertir que yo tengo necesidad del otro para ser verdaderamente yo.» Y más adelante: «La comunicación unirá a los solitarios..., por la soledad llego al fondo de mí mismo, mas por ella me convierto a la vez en ser disponible, tras haber adquirido suficiente profundidad para poder acoger el mensaje del otro... Es la libertad misma la que, en el momento en que se experimenta como soledad, aspira a la comunicación..., eludir la comunicación es perderme, tanto como renunciar al otro» (M. Dufrenne et P. Ricœur, *Karl Jaspers et la philosophie de l'existence* [París, 1949], pp. 153, 155, 162-163, y, en general, todo el capítulo III, «La Communication»). Y más se precisa aún la posición de Jaspers cuando los mismos autores la comparan con la de Sartre: Para ambos «la presencia del otro nos sume en el dilema de la objetividad y de la subjetividad; a cada instante nos exponemos a convertirnos en objeto para otro, o de tratar a otro como objeto.» Pero donde Sartre usa «un lenguaje ontológico, Jaspers emplea un lenguaje ético.» Y luego ambas doctrinas se bifurcan aún más: «Para Sartre la polaridad del sujeto y del objeto envenena mi relación con el otro: 'Mi constante cuidado es contener al otro en su objetividad; mis relaciones con el otro-objeto están hechas esencialmente de artimañas encaminadas a conseguir que permanezca siendo objeto' (*L'Etre et le Néant*, p. 358). Nada más, pues, para Sartre, que sadismo o masoquismo: el infierno, eso son los otros. Mas para Jaspers... la comunicación requiere un esfuerzo constante para transformar el conflicto en conflicto amoroso, y para eludir toda amenaza de degradación del sujeto en objeto, asociando ambos sujetos en una empresa común de afirmación de sí mismos» (op. cit., p. 154, nota).

Comparando a Jaspers con Heidegger, dicen los mismos autores que el primero no hace como el segundo, quien «para afirmar la solidaridad del yo y del otro define la realidad humana como un *Mitsein*», es decir, como un co-existir. Y es que Jaspers no trata como Heidegger de mostrar «la estructura ontológica de la realidad humana», sino «la relación óntica que une un yo concreto a un tú» (op. cit., p. 154).

Interesa precisar algo más lo que Heidegger dice en lo que se refiere al otro, aun siendo diferente de lo que Machado dice, justamente porque vamos luego a insistir en el parecido entre el pensamiento de ambos en otros puntos. Y, además, porque el propio Machado hizo una alusión a la diferencia entre él y Heidegger, en lo que respecta al «otro», la cual puede prestarse a interpretaciones torcidas.

Dice, en efecto, Heidegger en *Sein und Zeit* que el *Dasein,* la existencia que él analiza, «es esencialmente en sí mismo 'ser con'». Mas, por otra parte, según se desprende de todo su análisis, la tal «existencia» auténtica, ese *Dasein* que se siente como arrojado en medio del mundo, es un ente esencialmente solitario. Los otros no cuentan mucho *para él,* aunque estén *con él.* Por eso dice R. Jolivet (*Les doctrines existentialistes* [Rouen, 1948]) al tratar de Heidegger: «El yo es, pues, propiamente un 'ser con', y este *ser con* está en relación con otros *Dasein,* que componen *mi* mundo circundante; en tanto que esos otros aparecen integrados en mi mundo, se acercan a mí por la *preocupación* y, por así decirlo, los llevo conmigo, como la tierra a través de los espacios transporta con ella su atmósfera» (pp. 93-94). Y más adelante comenta en una nota que «el individuo auténtico de Heidegger parece incapaz de toda verdadera comunicación con los otros» (p. 136). Ahora bien, si es cierto que para Heidegger el individuo auténtico —esto es, ese que logra descubrir lo que esencialmente él es, el que logra descubrir su real y trágica situación en el mundo, tras apartar los engañosos velos que encubrían ésta, el que se ha librado de la banalidad— no parece ocuparse mucho de los otros posibles seres auténticos, en ningún modo puede decirse que él denigre o desprecie a ese *otro.* A quien denigra y desprecia es al «uno», es decir, al hombre banal con el cual todos nos enmascaramos para desconocernos. El «otro» a que a veces Heidegger se refiere, en el sentido del «uno», nada tiene, pues, que ver con el *otro,* en el sentido del otro auténtico. No debe olvidarse nunca que Heidegger hace una distinción entre hombre banal y auténtico, y que repetidamente señala que el primero tiende a ahogar, a disolver la autenticidad del segundo. Así escribe Heidegger, en la traducción de J. Gaos: «... en el empleo de la prensa, es todo otro como el otro. Este 'ser uno con otro' disuelve totalmente el peculiar 'ser ahí' (Dasein) en la forma de ser de 'los otros', de tal suerte que todavía se borra más lo característico y diferencial de los otros... Disfrutamos y gozamos como *se* goza;

26

leemos, vemos y juzgamos de literatura y arte como *se* ve y *se* juzga; incluso nos apartamos del 'montón' como se apartan de él... El 'uno', que no es nadie determinado..., prescribe la forma de ser de la cotidianidad... Este término medio en la determinación de lo que puede y debe intentarse vigila sobre todo conato de excepción. Todo privilegio resulta abatido sin meter ruido. Todo lo original es aplanado... Todo misterio pierde su fuerza» (*El ser y el tiempo* [México, 1951], página 147).

Puntualizado así lo que Heidegger dice con respecto al otro, veamos ahora cuál es el comentario de Machado. En un artículo que en 1937 consagró a exponer *Sein und Zeit* —y del cual, más adelante, aún hablaremos— se explica muy bien la opinión de Heidegger en cuanto a ese encubrirse del *Dasein* en los otros cuando se alude al camino de retirada que «bajo el influjo del *se* anónimo —*das Man*— tendemos a recorrer, huyendo de nosotros mismos» (p. 790). Y Machado agrega: «Sin buscarnos por ello en los demás.» Ciertamente no es lo mismo perderse en los otros, disolverse, que buscarse y encontrarse en ellos. Heidegger nada dice de buscarse en los otros, sólo se refiere a perderse en ellos; pero a Machado le interesa hacer constar su punto de vista, y lo hace, aunque en forma tímida y por ello confusa. Por eso aún agrega, mezclando su pensamiento con el de Heidegger de modo que oscurece el de éste: «Cada cual deviene *otro*, y nadie *él mismo*, dice —si no recuerdo mal— Heidegger, con frase despectiva, que mi maestro no hubiera totalmente aprobado.» Y ahí parece olvidarse lo que es evidente, y el propio Machado líneas antes indica, esto es, que la intención despectiva se refiere al 'uno', o a la pretensión de querer ser, huyendo de nosotros mismos, como otro cualquiera, y no realmente al *otro* o a la *otredad*, al ansia de lo otro y de ser otro. En una nota al pie, en la misma página, recalca Machado su diferencia con Heidegger, en lo que al *otro* se refiere, escribiendo: «Heidegger no repara en que pretender llegar a ser otro es el único hondo afán que puede agitar las entrañas del ser, según explicaba o pretendía explicar mi maestro Abel Martín.» Heidegger no *repara* en ello, pero tampoco condena ese afán: simplemente no lo tiene en cuenta.

En suma, los comentarios de Machado, el esfuerzo por intercalar su propio pensamiento al exponer a Heidegger, desvirtúan por un instante el pensamiento de éste; pero la diferencia entre ambos queda establecida, y ésta consiste en que mientras Machado nos incita a «buscarnos... en los demás», Heidegger no, ya que para él toda relación entre individuos parece realizarse en el plano de la inautenticidad.

Veamos ahora si hay alguna relación entre el pensamiento de Machado y el de Husserl. En sus últimos años, después que Machado había escrito su apéndice, Husserl se refirió repetidamente a las otras mónadas o sujetos, al *otro;* pero ello sólo como una necesaria garantía de la objetividad del conocimiento logrado con su método fenomenológico. De ello trata en sus *Méditations Cartésiennes* (París, 1931), queriendo responder a aquellos que condenaban su filosofía considerándola un «solipsismo trascendental» (p. 126). Por la misma época escribía en el prólogo a la edición inglesa de sus *Ideas:* «... es dentro de la intersubjetividad... donde el mundo real se constituye como 'objetivo', como estando ahí para todos» (*Ideas: General Introduction to Pure Phenomenology,* trans. by W. R. Boyce Gibson [New York, 1931], p. 22). Y es que, como explica J. Xirau, las objeciones contra la fenomenología se disuelven, según Husserl, ya que «yo no me aprehendo sólo a mí mismo, sino que gracias a una forma peculiar de esta experiencia aprehendo al mismo tiempo al otro, y en él y por él al mundo que nos es necesariamente común» (*La filosofía de Husserl* [B. Aires, Losada, 1941], p. 230). O, como dice otro expositor, Husserl arguye que el yo propio «no puede tener experiencia del mundo sin estar en contacto con otros yos. Debe haber una *sociedad de mónadas*» (cf. Marvin Farber, *The Foundation of Phenomenology* [Harvard Univ. Press, 1943], p. 533). Pero de todo esto se deduce que, pese a la similitud de términos en algunas ocasiones, el *otro* a que se refiere

Husserl, las otras mónadas, de que él habla, tienen en su filosofía un papel muy diferente al que tienen en la de Machado. La diferencia entre ambos, a este respecto, es la misma que entre Husserl y Jaspers señalan los señores Dufrenne y Ricœur, ya que Jaspers «no trata de mostrar, como Husserl en las *Meditaciones Cartesianas,* que el otro está directamente implicado en el *cogito,* porque lo *cogitatum* no tiene significación objetiva si yo no lo pienso de acuerdo con él, con referencia a una pluralidad indefinida de conciencias. Y es que para Husserl el otro es sobre todo el garantizador de la objetividad del *noema,* y no en modo alguno una presencia concreta con la cual yo pueda tener una relación... Él estudia la relación de conciencia a conciencia, Jaspers —y ahí su originalidad— la relación de existencia a existencia» (op. cit., pp. 153-154). Husserl, pues, un riguroso filósofo racionalista, necesita de los otros para conocer real y objetivamente; Machado, esencialmente un poeta, un existencialista, necesita de los otros para sentir, para sentirse, para conocerse.

Machado no debió leer a Husserl, si es que lo leyó, sino años después de escrito el apéndice. Él mismo, al parecer, lo indica en estas líneas, que son de 1935: «Juan de Mairena es un hombre de otro tiempo... y no había alcanzado, o no tuvo noticia, de este moderno resurgir de la fe platónico-escolástica en la realidad de los universales, en la posible intuición de las esencias... de los fenomenólogos de Friburgo» (p. 600). Debió de todos modos interesarle ese «moderno resurgir», cuando tuviera noticia de él, ya que, como aún hemos de ver, desde 1915 por lo menos Machado añoraba una restauración de la antigua «razón helénica» como medio de salvar a la mónada de su soledad; como uno de los medios, pues otro sería, comenzó a decir poco después, el amor cristiano. Pero reaccionando contra esa primera tendencia, en el apéndice, que es donde expone su filosofía, Machado adopta una actitud esencialmente irracionalista, y, por tanto, difícilmente podría hablarse ahí de influjo alguno de Husserl. Ciertamente que irracionalismo hay en Scheler y en Heidegger, y éstos, sin embargo, tienen no poco de Husserl: tienen, al menos, el método fenomenológico que emplean en sus investigaciones, aunque sea aplicado en forma diferente a como Husserl lo empleara. El resultado de esos análisis, sobre todo en el caso de Heidegger, no será muy diferente de las conclusiones a que Machado llega, como luego vamos a ver; pero Machado *no emplea el método fenomenológico,* ni en verdad método alguno. Según el propio Husserl: «La explicación fenomenológica no hace sino poner de manifiesto los datos de la pura 'intuición', y no es sino una pura 'explicación del sentido' que la intuición ofrece de un modo original» (*Médit.,* páginas 128-129). Mas en verdad esa explicación, o descripción, fenomenológica, no es cosa tan sencilla como ahí parece, y supone un método riguroso para la captación de esencias, método del cual no hay ni rastro en el apéndice de Machado.

La idea de Machado en cuanto a ese impulso del yo hacia el *otro,* que resulta ser un otro inmanente a la conciencia, tiene, sin embargo, una cierta analogía con la idea de la *intencionalidad.* Sabido es que al hablar de intencionalidad Brentano aludía a esa «dirección hacia un objeto», a esa «referencia a un contenido» de todo fenómeno psíquico, es decir, al hecho de que todo pensamiento es pensamiento *de algo*, y sabido es que, partiendo de Brentano, Husserl desarrolló su método fenomenológico. Mas a Husserl lo que le interesa especialmente es la captación de las esencias de ese «objeto intencional», hacia el cual todo acto psíquico apunta; es decir, la descripción de las vivencias que de ese objeto haya alcanzado una conciencia «pura», purificada. Y por eso la *intencionalidad* de que se habla en fenomenología no es un mero tener conciencia de algo, sino que supone un poner «entre paréntesis» el objeto de la experiencia tanto como el sujeto, lo que se llama «reducción fenomenológica»; así como supone una reducción a la esencia, o «reducción eidética». Y claro es que de todo esto nada hay en Machado. Como el propio Husserl dice: «La peculiaridad de la experiencia intencional en su forma general se indica fácilmente: todos entendemos la expresión 'conciencia de algo'..., lo difícil es captar pura y correctamente las fenomenológicas peculiaridades de las correspondientes esencias» (*Ideas,* p. 255). Pues bien, si en Machado hay algo que recuerde la idea de la intencionalidad, sería concibiendo ésta sólo «en su forma general», o sea, como «referencia» a otra cosa. De Brentano surgiría la idea, dice Julián Marías, del hombre como «algo intencional», excéntrico, y que señala a algo distinto de él» (*Historia de la filosofía* [Madrid, 1948], p. 355). Pero aun así existiría entre Brentano y Machado la diferencia, entre otras, de que Machado se refiere a un algo de que se tiene conciencia que resulta siempre ser un *otro,* es decir, un ser humano, un objeto de amor. El parecido mayor está sin duda en el hecho de que ese algo, ese objeto, persona o no, sea *en último término,* en Machado como en Brentano o Husserl, inmanente a la conciencia, algo que va con ella, y que no es considerado sino en tanto que ante ella aparece y como aparece. Nos volveremos a referir al parecido con Husserl, en este punto concretísimo, cuando nos ocupemos del idealismo o subjetivismo de Machado.

Grande o pequeño, el parecido entre la idea de Machado en cuanto al otro inmanente, objeto de amor, y el concepto de intencionalidad, es probablemente tan sólo casual. La idea de Machado proviene sin duda, sobre todo, de haber agregado la «otredad», el ansia de lo otro, a esa encerrada mónada de Leibnitz que extrae todas sus percepciones del fondo de sí misma; proviene de haber convertido en fraterna la mónada de Leibnitz; o, más bien, de haber reconocido en ella la fraternidad y el ansia de amor. Mas si, como parece probable, Machado (que no había podido leer a Heidegger o Jaspers en 1926, y seguramente tampoco había leído a Husserl o Brentano) había leído a Scheler, en éste pudo aprender la importancia que, después de Husserl, adquirió ese concepto de *intencionalidad* en la filosofía moderna; y no sería raro entonces que hubiera tratado de amoldar, en cierto modo, un pensamiento suyo a dicho concepto. Esto plantea el problema de la relación de

31

Machado con Scheler, con lo que terminamos esta digresión, encaminada más que a buscar «influencias» a *situar* el pensamiento de Machado en el marco de la filosofía contemporánea, cosa que aún seguiremos haciendo a medida que se nos vaya revelando en qué consiste ese pensamiento.

A la muerte de Scheler aludió Machado con palabras que revelan una profunda estimación de su obra (página 716). Y a él aludió otras veces. En el referido artículo sobre Heidegger, por ejemplo, dice que tanto éste como Scheler pertenecen a la «escuela de los fenomenólogos», y que la obra de Scheler consistió en extender «la esfera... de lo intencional, para hablar el lenguaje de la escuela, al campo de lo emotivo» (p. 794). Y, en efecto, eso es lo que Scheler hizo cuando, ya en 1913, escribió *Zur Phänomenologie und Theorie der Sympathiegefühle,* obra que contenía, por cierto, un apéndice sobre «el fundamento para suponer la existencia de un yo ajeno». Dicha obra, corregida y aumentada, apareció en su lengua original, en 1923, con el título de *Wesen und Formen der Sympathie.* Esta segunda edición, o aun la primera, aunque ello resulte menos probable, bien pudo leerla Machado, que quizá leía el alemán, antes de 1926; es decir, antes de la fecha en que publicó la primera parte del apéndice. En dicha obra se hace una descripción fenomenológica de los fenómenos de la simpatía y el amor, y se nos descubre, en oposición a las tesis naturalistas, que «el amor es movimiento del ánimo y un acto espiritual», que «abre los ojos para valores más altos», pues gracias a ese amor todo «portador de valores» alcanza «los valores más altos posibles para él» (cf. *Esencia y formas de simpatía,* trad. José Gaos [Buenos Aires, Losada, 1943], pp. 191, 227, 231). El amor, pues, para Scheler resulta ser un modo de conocimiento, un modo de llegar a ser lo que se es. Claramente se ve la relación que esto tiene con lo que sobre el amor dice Machado, aunque él no emplee, como ya dijimos, para llegar a esa conclusión, el método fenomenológico, aplicado «al campo de lo emotivo», sino que simplemente nos hable de la necesidad del amor. Ahora bien, no sería ese parecido base suficiente para sospechar que pudiera haber en Machado influjo de Scheler si no fuera porque, además de nombrarle con elogio, y más de una vez, hay otras ocasiones, como hemos aún de ver, en que lo que Machado dice en el apéndice, en relación con otros problemas, hace de nuevo pensar en Scheler, como en lo que se refiere a su planteamiento del problema de Dios, cosa que ya otros han señalado. El probar que Machado había leído a Scheler *antes de 1926* ayudaría además a explicar ciertos parecidos, a algunos de los cuales ya nos hemos referido y otros a que aún nos referiremos, unas veces vagos y lejanos, pero otros concretísimos y sorprendentes, con Husserl, Jaspers, Heidegger y otros, ya que a través de él se acercaría al foco de la filosofía alemana contemporánea en sus diversas tendencias. Mas, por desgracia, yo no he encontrado prueba alguna definitiva.

Parece mucho más probable, como decíamos, que Machado leyera *Wesen...*, la edición de 1923, que la de 1913, pues antes de 1920 debía hablarse muy poco de Scheler en España. Pero ya en unos «proverbios y cantares», que se incluyen en las *Poesías completas,* y que están fechados en 1919, se refiere Machado a no pocos de los temas que trataría en el apéndice, aunque sea en forma en extremo condensada: «El ojo que ves no es / ojo porque tú lo veas; / es ojo porque te ve», dice el primero de esos proverbios; y el cuarto: «Mas busca en tu espejo / al otro que va contigo»; y luego aún escribe: «Un corazón solitario / no es un corazón» (pp. 301, 302, 315). Todo esto indica que su filosofía, sea ésta lo que sea, le andaba ya rondando en la cabeza por esa fecha. Y veremos que hay indicios, y más que indicios, de que en realidad el origen de sus ideas se remonta a años atrás, hacia la época en que escribió *Campos de Castilla,* y cuando, ya publicada esta obra, en 1912, se consagró a estudiar filosofía. Sería, pues, más que aventurado afirmar que fue Scheler quien le sugirió sus ideas, como lo es afirmar que fue Heidegger.

3

En 1924, en un apunte de *Los Complementarios* escribía Machado: «El sentimiento no es una creación individual... Hay siempre en él una colaboración del tú, es decir, de otros sujetos... Mi corazón, enfrente del paisaje, apenas sería capaz de sentir el terror cósmico, porque aún este sentimiento elemental necesita para producirse la congoja de otros corazones.» Y termina esa nota refiriéndose a «... ese tercer mundo en que todavía no ha reparado suficientemente la psicología del mundo *de los otros yos*» (cf., *Cuadernos Hispanoamericanos,* 19 [enero-feb., 1951], p. 28). Estas últimas líneas tal vez pudieran contener una alusión a Scheler, ya que la parte final de *Wesen*... trata «Del yo ajeno», con un capítulo dedicado a «La evidencia del tú en general» y otro a «La percepción del prójimo». Este leve indicio es el único que puedo mostrar para ayudar a probar que Machado había leído a Scheler antes de 1926; mas claro es que al aludir a la «psicología del mundo *de los otros yos*» bien pudiera referirse a otro autor; y aun haría pensar esto el hecho de que él hable de «psicología», cuando Scheler reaccionaba contra el punto de vista de los psicólogos en lo que se refiere a los problemas que despierta la percepción del «yo ajeno». Mas, tal vez, precisamente por haber leído a Scheler, se refería con cierto desdén a esos psicólogos.

Indicaremos ahora, por último, que el tema del *otro,* que aparece con gran frecuencia en los filósofos de este siglo, aunque no todos se ocupen de él de modo análogo, ni mucho menos, es un tema que arranca de los filósofos alemanes del romanticismo. Se encuentra ya en Fichte, y luego en Hegel. Dicen al respecto Dufrenne y Ricœur: «El problema del otro aparece en la historia como un descubrimiento y una adquisición de la filosofía moderna. Se podría decir que el advenimiento de dicho problema ocurre con Hegel. Hasta entonces, las agresivas paradojas del solipsismo no habían atraído la atención de los filósofos: la presencia del otro se daba por descontada, y el único problema que ésta planteaba era de orden estrictamente moral. Mas a partir de la *Fenomenología del espíritu* no es ya posible escamotear el problema de la realidad del otro y de la posibilidad de un diálogo con él»... (*Karl Jaspers et...*, p. 153).

4. El Dios de Antonio Machado

Es la falta de Dios, decíamos, la causa verdadera de esa *otredad* del alma a que Machado se refiere. Es a Dios a quien en verdad buscamos estando en soledad.

Mas si Cristo, como Machado dice, reveló que el fin del alma no está en sí misma, reveló también que su fin, como su origen, está en el Padre. Lo triste es sentir esa «incurable alteridad» del alma, el ansia de Dios, y no creer en El. Quien cree en El cree en el prójimo, y ama a éste por amarlo a El. Ya Mairena decía que la fundamental enseñanza del Cristo es esta: «Sólo hay un Padre, padre de todos, que está en los cielos.» Y a continuación el mismo Mairena comentaba: «He aquí el objeto erótico, trascendente, la idea cordial que funda, para siempre, la fraternidad humana» (p. 520). Pero Machado era tan sólo un buscador de Dios:

> Por los caminos, sin camino, como
> el niño que en la noche de una fiesta
> se pierde entre el gentío
> y el aire polvoriento y las candelas
> chispeantes, atónito, y asombra
> su corazón de música y de pena,

así voy yo...
siempre buscando a Dios entre la niebla (p. 113).

Era Machado de los que piensan que, sin fe previa, las pruebas racionales de la existencia de Dios no prueban nada. Su Dios era tan sólo el Dios del corazón. Mas esto necesita ser explicado.

Al hablar del «Dios del corazón» no resulta siempre muy claro si se habla sobre todo de un Dios existente fuera del corazón, y revelado, manifestado en el corazón del hombre, o bien si se trata de un Dios *sólo del corazón,* es decir, tan sólo de un presentimiento o nostalgia de Dios en el hombre, de una postulación de Dios que, por sí misma, no constituye ni mucho menos, digan lo que digan ciertos teólogos, una prueba convincente de la existencia objetiva de El. En todo fideísmo tal equívoco queda a menudo latente. Y es que un Dios sujeto a nuestras palpitaciones, angustiosamente sentido, tiende a identificarse con el anhelo que de El se tiene; tiende a convertirse en un Dios inmanente al hombre, sólo inmanente, lo cual equivale a una negación del verdadero Dios. Por eso sin duda dice E. Gilson que fideísmo y escepticismo a lo largo de la historia fueron a menudo unidos [4].

Pues bien, el Dios de Machado era el de los fideístas, pero de esos fideístas que empiezan por afirmar, no la existencia objetiva de Dios, sino el ansia de El sentida en el corazón. «Dios revelado... en el corazón del hombre..., una otredad inmanente», escribía el propio Machado hacia 1935 (p. 618). «Inmanente», dice, sí, y «revelado»; pero quiere decir sin duda revelado como una nostalgia. Sólo los místicos alcanzan, por especial gracia divina, una revelación directa, o lo que ellos creen tal, lo cual para el caso viene a ser lo mismo. Para Machado, por lo que él dice en numerosas ocasiones, como para tantos otros mortales, ese Dios revelado en el corazón, de que él habla, esa otredad inmanente, era sólo un *deseo* de Dios. Y claro es que un hombre que siente en su corazón ese deseo de Dios puede, además, creer en

El. Siempre hubo fideístas que empezaron por creer en Dios, sin necesidad de pruebas, que sentían a Dios revelado en su corazón, aún sin ser místicos, y que precisamente por creer sentían la nostalgia de Dios, el dolor de la separación, y ansiaban un conocimiento más íntimo. Y algunos de éstos, de pura fe, de pura impaciencia, fueron arrastrados a una cierta desesperación, al ansia expresada en el famoso *muero porque no muero*. Pero hubo siempre también, y abundan hoy sobre todo, fideístas que nunca estuvieron seguros de nada, salvo de su necesidad de Dios; fideístas que empiezan, diríamos, por el anhelo de Dios, no por la fe, y basándose en ese anhelo, y sólo en él —ya que éstos rechazaron siempre las pruebas, y mucho más después de Kant— quieren llegar a creer. Mas no siempre, ni mucho menos, lo consiguen. La fe, si es que llega a brotar, lo que raramente ocurre, nace en ellos de la desesperación, como en Kierkegaard, o como Kierkegaard quería, y no la desesperación de la fe, como sucede a los místicos, y como sucede a otros creyentes, ansiosos de un más pleno conocimiento de Dios, mientras se hallan en esta vida.

Pocas veces, decimos, esos fideístas que empiezan por el anhelo de Dios, sólo por el anhelo, llegan a creer. Las más veces *dudan,* y muy frecuentemente, aun sintiendo mucho en su corazón la necesidad de Dios, no creen en El. A menudo ocultan, como Unamuno —creo yo—, esa incredulidad bajo la *duda*. Pero hay también quien deseando muy sinceramente a Dios, definitivamente no cree en El. Tal era el caso de Machado, que, como vamos a ver, creía sobre todo en la nada. Del sentimiento de la nada brotaban, para él, metafísica y poesía. Era, pues, Machado de los fideístas que, más propiamente, o con más claridad al menos, podríamos llamar ateos, aunque ciertamente ateos insatisfechos: hombres que sienten la falta de Dios.

La fe de Machado, si alguna vez existió, debió ser a lo más —salvo en la niñez—, como en el caso de

Unamuno, una momentánea fe a la desesperada, como esa a que alude cuando escribe:

> Creo en la libertad y en la esperanza,
> y en esa fe que nace
> cuando se busca a Dios y no se alcanza (p. 257).

Creer «en la esperanza» y en la «fe» —como esa «fe en la fe misma» que Unamuno aconsejaba hacia 1900— es cosa que tiene poco sentido. Unamuno, por su parte, así lo reconocería más tarde, al repudiar en *Del sentimiento trágico de la vida* su ensayo anterior *La fe.* Y Machado se refiere además, en los versos citados, y esto es lo que ahora nos importa, a una «fe que nace cuando se busca a Dios y no se alcanza», esto es, a una fe que nace de la desesperación, y que alguna vez quizá él en verdad sintiera, como la había sentido al menos una vez Unamuno —en 1897—, aunque yo más bien creo que en éste como en otros casos, Machado se dejaba influir por Unamuno, a quien él admiraba ya a principios de siglo y siguió admirando hasta su muerte [5]. Pero de todos modos, esa fe a que Machado ahí se refiere suele ser, como fue en el caso de Unamuno, muy poco duradera; y, en general, puede decirse que es cosa tan vaga —apenas algo más que un simple no conformarse con la muerte— que a duras penas puede ser llamada fe. Por eso precisamente Unamuno, lo mismo que en los citados versos Machado, sentía la necesidad de afirmar la voluntad de sostenerla, voluntad de creer en esa esperanza, en esa «fe». No debió, pues, ser ese momento, como tampoco algún otro que en su obra pudiera señalarse, sino una muy remota y pasajera esperanza, a lo más; un fuerte *deseo,* más que verdadera fe, de que realmente existiera fuera del corazón ese Dios que su corazón ansiaba. Y en todo caso, es un hecho que, al contrario que Unamuno, Machado no insiste nunca en agarrarse a una tal dramática esperanza cuando ya ha perdido el impulso que la hizo nacer, y menos insiste en exhibirla y pavonearse con ella. Machado, más simple y honestamente, desesperaba sin alharacas. Y si algo insistió en afirmar, fue su incredulidad, su dolorosa negación. Eso hace en el apéndice, como aún veremos, y eso hacía diez años antes cuando escribía en *Profesión de fe:*

> el Dios que todos hacemos,
> el Dios que todos buscamos
> y que nunca encontraremos (p. 247).

Era Machado ciertamente, como dice P. Laín Entralgo, un «menesteroso buscador de Dios» (*La generación del noventa y ocho* [Madrid, 1945], p. 130). Pero no destaca Laín Entralgo lo bastante ni destacan otros que tras él se han referido al inmanentismo religioso de Machado, que su ansia de Dios se levanta sobre la conciencia de la nada, que era en él lo fundamental; se levanta, en suma, sobre la base de una verdadera negación [6]. Esto resultará evidente cuando hablemos de su concepción, tan parecida a la de Heidegger, en cuanto al ser y la nada. Pero, además, se advierte en otras muchas ocasiones, como cuando escribe, al final del volumen primero de *Juan de Mairena:* «Mi maestro —habla siempre Mairena a sus alumnos— escribió un poema filosófico... cuyo primer canto, titulado *El Caos,* era la parte más inteligible de toda la obra. Allí venía a decir, en sustancia, que Dios no podía ser el creador del mundo, puesto que el mundo es un aspecto de la misma divinidad; que la verdadera creación divina fue la Nada...» (p. 698). Que Dios no es el creador del mundo, que el mundo es «un aspecto» de la divinidad —clara afirmación de panteísmo— es cosa que él repitió a menudo.

Poco después, en 1937, en el volumen segundo de la misma obra, se refería a una versión «heterodoxa», que era la suya, sobre la divinidad de Cristo, «el hombre que se hace Dios, *deviene* Dios para expiar en la Cruz los pecados más graves de la divinidad misma» (p. 741). Podría alguien pensar que, pese a su heterodoxia, creía él en la divinidad de Cristo. Mas en la misma página advierte, no sin cierta sorna, que tal divinidad está «a salvo» en todo caso, ya que o bien Cristo «fue el divino Verbo», que es la versión ortodoxa, o fue «el hombre que se hace Dios», que era lo que Mairena creía. Y así se comprende lo que quiere decir con eso de que Cristo *deviene* —subrayado por él— Dios, y por qué habla de los «pecados» de la divinidad, esos pecados que Cristo debió expiar. Lo que se quiere decir, me parece, es que ya que la nada es lo que está reservado al hombre —como se ve en el poema «Muerte de Abel Martín», publicado después del apéndice (pp. 434-438), y que es uno de los últimos que escribió— éste, inconforme con su destino, convierte a Cristo en Dios, y así Cristo *deviene* Dios, para expiar el pecado de la divinidad, que consiste en haber dado al hombre tan sólo la nada.

Ese llegar a ser Dios, ese *devenir* tiene también, podría decirse, un sello hegeliano. Pero no hay que olvidar que en la cita anterior no dice Machado que sea el hombre quien deviene Dios, sino *el Cristo;* y, en suma, lo que Machado hace, simplemente, es poner de manifiesto una vez más su incredulidad, aunque ocultando ésta con la ironía. Lo cual no quiere decir, claro es, que tomara a broma los sentimientos religiosos.

Ese pesimismo que se esconde tras su ironía, como tras sus anhelo, es lo que verdaderamente se encuentra en el fondo del pensamiento de Machado, aunque él no quisiera aceptarlo. Nadie podría a él acusarle de haberse «instalado» en la negación sin buscar a Dios. El no hizo sino buscar. Pero el pesimismo o la negación reaparecen a menudo, como cuando, en el mismo artículo, unas páginas antes, dice que él no aconseja la duda de los filósofos, duda metódica o cartesiana, «ni siquiera la de los escépticos propiamente dichos, sino la duda poética, que es duda humana, de hombre solitario y descaminado, entre caminos. Entre caminos que no conducen a ninguna parte» (p. 737). *No conducen a ninguna parte,* afirmaba, pues, poco antes de morir; como muchos años antes había afirmado que *nunca encontraremos* a Dios.

Era la nada lo que sentía en el fondo de sí, y no es extraño que de ese fondo se levantara en él con frecuencia una apasionada nostalgia de Dios. Pasó la vida «buscando a Dios entre la niebla»; pero sólo admitiendo que el sentimiento de la nada era en él lo básico, el punto de partida, puede entenderse lo que en el apéndice se dice en cuanto a la «metafísica» de Martín y de Mairena, que es lo principal de su pensamiento y de la cual nos vamos a ocupar más adelante. Si lo que Machado dice en sus fragmentos filosóficos no se ha comprendido, ello se debe en gran parte, creo yo, a que no se ha comprendido ni querido comprender qué es lo que verdaderamente él dice en cuanto al problema de Dios.

Algo bien significativo —y nada católico por cierto— es que él, como tantos otros buscadores de Dios, rechazara el apoyo de la razón como medio de conocimiento de lo divino. El fideísmo de Machado, decíamos, era sólo el de los anhelantes de fe. Pero coincidía él con otros muchos fideístas, de mayor o menor fe, en su antipatía hacia los teólogos racionalistas, los que empiezan por aceptar las pruebas, y «prueban» en efecto la existencia de Dios, acaso sin haber sentido jamás el ansia de Él dentro del corazón. Con poco respeto se refería Machado al «dios aristotélico», causa primera, dios que aunque todo lo mueve permanece inmóvil ya que, como hacía observar Mairena, «no hay quien lo atraiga o le empuje, y no es cosa de que él se empuje o se atraiga a sí mismo» (p. 667). Y más adelante, cuando habla de esa versión heterodoxa del Cristo que *deviene* Dios, decía creer «en una filosofía cristiana del porvenir, la cual nada tiene que ver —digámoslo sin ambages— con esas filosofías católicas, más o menos esbozadamente eclesiásticas, donde hoy, como ayer, se pretende enterrar al Cristo en Aristóteles... Nosotros partiríamos de una total jubilación de Aristóteles..., esto es para nosotros un acierto definitivo de la crítica filosófica, sobre el cual no hay por qué volver» (página 742).

El «acierto definitivo» de la crítica, a que se refiere, y en general toda esa actitud suya en cuanto al «dios aristotélico», claro es que tiene mucho que ver con la

42

crítica kantiana, bajo el peso de la cual se desarrolla el pensamiento de Machado, como el de tantos otros filósofos y teólogos contemporáneos. Bien sabido es que toda la *Crítica de la razón pura* no tiende sino a mostrar la imposibilidad en que la razón se encuentra de probar, o negar, la existencia de Dios. «El conocimiento nunca puede ir más allá de los límites del mundo sensible», repite Kant constantemente en esa obra (cf. Immanuel Kant's *Critique of Pure Reason,* tr. F. Max Müller, 2.ª ed. [New York, 1907], p. 201). Especialmente en el libro I de la «Dialéctica trascendental», en la misma obra, Cap. III, Sec. III-VII (loc. cit., páginas 471-516) se ocupa «De los argumentos de la razón especulativa para probar la existencia de un Ser supremo», y ahí reduce todas las pruebas —físico-teológica, cosmológica y ontológica— a una, la ontológica, que refuta cumplidamente, concluyendo: «Si, por lo tanto, trato de concebir un ser como la más alta realidad (sin ningún defecto), la cuestión permanece aún si dicho ser existe o no» (p. 484). Y también: «... cualquier existencia fuera de ese campo [el de la experiencia], aunque no pueda ser declarada en absoluto imposible, es sólo una suposición» (p. 485). En cuanto a la prueba por la aplicación del principio de causalidad, la prueba aristotélica, es también imposible, pues ese principio no tiene sentido sino aplicado «al mundo de los sentidos» (p. 491). En suma, «la necesidad de la existencia nunca puede ser conocida por conceptos» (p. 184).

Sin embargo, queriendo escapar del yugo de esa crítica, buscando un rayo de esperanza, Machado pensó a veces que, en último término, todo es cuestión de fe —fe religiosa o fe en la razón—, ya que con fe podían resultar válidas esas pruebas que Kant refuta. En 1935 escribía: «Es muy posible que el argumento ontológico... no haya convencido nunca a nadie, ni siquiera al mismo San Anselmo... Descartes lo hace suyo y lo refuerza con razones que pretenden ser evidencias... Más tarde Kant, según es fama, le da el golpe de gracia.» Y después de exponer brevemente el tal argumento y la crítica kantiana, agrega: «Reparad, sin embargo, en que

43

vosotros no hacéis sino oponer una creencia a otra... El argumento ontológico lo ha creado una fe racionalista de que vosotros carecéis, una creencia en el poder mágico de la razón para intuir lo real... El célebre argumento no es una prueba; pretende ser —como se ve claramente en Descartes— una evidencia. A ella oponéis vosotros una fe agnóstica, una desconfianza de la razón... Porque todo es creer, amigos, y tan creencia es el *sí* como el *no*» (pp. 512-515). Y más adelante por boca de Mairena aún llega a afirmar que algún día resurgirá «la fe idealista» y volverá a ser válido el argumento ontológico, y éste se podrá hacer extensivo a otras ideas, pues para ello «bastará con que se debilite la fe kantiana, ya muy limitada de suyo». Mas a continuación agrega: «Entonces nosotros, escépticos incorregibles, tendremos que hacer algunas preguntas. Por ejemplo: ¿creéis en la muerte, en la verdad de la muerte, por el hecho de pensarla...?» (p. 780). Con lo cual Machado recae a ese escepticismo al que, tras diversas piruetas, siempre va a dar; ya que, en efecto, si se deduce la existencia, la realidad de Dios, de la idea que de Dios tenemos, lo mismo podría deducirse la verdad absoluta de la muerte, pues como él en otra ocasión advierte, ésta es una idea que nos acompaña, y no una experiencia: «Es una idea esencialmente apriorística; la encontramos en nuestro pensamiento, como la idea de Dios... Hay quien cree en la muerte, como hay quien cree en Dios. Y hasta quien cree alternativamente en lo uno y en lo otro» (p. 711). Machado tenía en sí, obsesionantes, las dos ideas, pero es evidente que en él dominaba la creencia en la muerte, en la nada.

Cuál sería, con todo esto, esa «filosofía cristiana del porvenir» a que se refiere y cuyo advenimiento al parecer esperaba, es cosa que no sabemos, pero desde luego tendría poquísimo que ver con «esas filosofías católicas», como él dice. Mucho más tendría que ver, si acaso, con ciertas filosofías existencialistas de raíz protestante en las que, siguiendo a Kierkegaard, Dios se descubre en lo hondo de la conciencia, como fruto de la desesperación. El propio Machado insinúa a qué tipo

44

de filosofía se refiere al escribir poco antes, poniendo como siempre sus palabras en boca de Mairena: «Imaginamos —decía mi maestro Martín— una teología sin Aristóteles...» Es decir, una teología en que la existencia de Dios no quede garantizada mediante las pruebas racionales. En una tal teología Dios quedaría sujeto a los vaivenes de nuestro propio corazón, alimentándose, como Unamuno decía, del ansia que de Él tengamos. Por eso, un alumno protesta diciendo que un Dios «totalmente zambullido en el tiempo» es inaceptable. Y Mairena, desconcertado, responde: «La verdad es... que en toda concepción panteísta —la metafísica de mi maestro lo era en sumo grado— hay algo monstruoso y repelente; con razón la Iglesia la ha condenado siempre... Yo, sin embargo, os aconsejo que meditéis sobre este tema para que no os coja desprevenidos una metafísica que pudiera venir de fuera y que anda rondando la teología, una teología esencialmente temporalista» (páginas 658-660). Y así vemos que esa «filosofía cristiana del porvenir», sin Aristóteles, a que luego se refiere, que seguramente es esta misma que anda rondando una teología «temporalista», no le dejaba a él tampoco satisfecho, ni podía dejarle faltándole fe para afirmar la existencia, fuera de él, fuera del tiempo, de ese Dios sentido primero en el corazón. Una tal teología corre siempre el peligro de caer en inmanentismo, en panteísmo; esto es, corre el peligro de negar la existencia de Dios, de un Dios objetivo, fuera del mundo y de nosotros, un Dios que pudiera salvarnos. Así, sin duda, lo creía Machado, y por eso le parece insuficiente, «repelente». Pero claro es que *teniendo fe,* es posible concebir una teología como la que él indica, sin Aristóteles, en la que se comience por sentir la necesidad de Dios, y no se *pruebe* la existencia de Él, pero *se crea en Él;* se crea que, además de sentirlo dentro, Dios está fuera. Tal es modernamente, por ejemplo, la teología de Barth; y rondando una teología de este tipo se hallan ciertas filosofías, como la de Scheler, en ciertos momentos, y aún más la de Jaspers. «El advenimiento del hombre y el advenimiento de Dios se implican, pues, natural-

45

mente, desde un principio... Se me dirá —y se me ha dicho en efecto— que no le es posible al hombre soportar un Dios imperfecto, un Dios que se está haciendo. Respondo que la metafísica no es una institución de seguros para hombres débiles...» *(El puesto...,* pp. 164-165). Jaspers, por su parte, en su *Metafísica,* en el tomo III de su *Philosophie* (Berlín, 1932), habla de la Trascendencia, que se revela al hombre en la angustia, en las «situaciones-límite», a la vez que rechaza el concepto de Dios como *primer motor* y el valor demostrativo de las pruebas, ya que la Trascendencia «no se prueba: se testifica» (cf. p. 66 y ss. y 22 y ss.). Y en cuanto a la teología de Barth, por lo que tiene de kierkegaardiana, podría ser también calificada de «temporalista» (y, según sus críticos, de inmanentista, de ser un «nuevo modernismo»); pero lo que él hace es incitarnos a que nos elevamos hasta ese Dios, a que creamos en ese Dios, que se revela en el corazón como «lo fundamentalmente Otro», lo que nosotros no somos, y a lo que aspiramos: «When we Christians speak of 'God', we may and must be clear that this word signifies *a priori* the fundamentally Other, the fundamental deliverance from that whole world of man's seeking, conjecturing, illusion, imagining and speculating» *(Dogmatics...,* p. 36). Esto, que recuerda mucho a Kierkegaard —a quien tal vez Machado había leído— se parece bastante a lo que se lee en *Juan de Mairena,* después de una nueva andanada contra «el Dios aristotélico», de que «Dios revelado, o desvelado, en el corazón del hombre es una otredad muy otra, una otredad inmanente... Porque es allí, en el corazón del hombre, donde se toca y se padece esa otredad divina...» (pp. 617-618). La diferencia con Barth, y de ahí el extremo «temporalismo» de la teología de Machado, es que para él esa *otredad* era definitiva y únicamente *inmanente,* es decir, era sólo un deseo de lo Otro que no implicaba la existencia real, objetiva de eso Otro fuera de nosotros.

La filosofía «del porvenir» a que Machado se refiere, filosofía existencialista, temporalista, pero de la que falta esa fe que él añora, no es sino un inmanentismo a secas, es decir, un deseo, una necesidad de Dios; un Dios en el corazón y *sólo* en el corazón; algo que él desea tener, pero que no tiene. Y así, por cualquier lado que las miremos, y pese a todas las apariencias, todas las palabras de Machado, en lo que a religión se refiere, van a dar a lo mismo: a la nostalgia de una fe que no tenía.

Quienes a pesar de todo esto que hemos dicho, y mucho más que pudiera decirse (como, por ejemplo, sus ataques a esa España «devota de Frascuelo y de María», páginas 226-227, según escribía en 1913; o a esa España de las «fuerzas negras— ¡y tan negras!», p. 892, según escribía desde Valencia, en 1937) hablen todavía de una robusta «fe cristiana» en Machado, como hace la romántica editora de las cartas de Machado a *Guiomar*, claro es que no se enteran de cuál era su religión, su filosofía o su poesía: no se enteran de nada. Críticos mejor informados, sin embargo, aun lamentando mucho que Machado no fuera católico, se han referido ya al inmanentismo religioso de éste, y a su desesperada necesidad de Dios, aunque no hayan reconocido ese fondo de negación, de *nada* que en él había, y que es lo fundamental; y aunque, bien sea por caridad o prudencia, o por ambas cosas juntas, no hayan sido suficientemente claros y explícitos [7].

5. Subjetivismo y ética

Era pues, Machado un buscador, sólo un buscador de Dios; y por ello no es extraño que en vez de pedir amor al prójimo por amor de Él, porque hay Dios, diga que es necesario amar al prójimo, *creer* en él, para así salvarnos, para que haya Dios: «Cuando... el hombre crea en su prójimo, el yo en el tú, y el ojo que ve en el ojo que le mira, puede haber comunión... Y para entonces estará Dios en puerta. Dios aparece como objeto de comunión cordial que hace posible la fraterna comunidad humana» (p. 616). Es claro que «creer» en el prójimo supone ahí no sólo admitir la realidad de su presencia física, sino también la realidad de su alma. Lo que Machado hace, en suma, es postular una actitud ética con respecto a ese prójimo, y ello como base para una postulación de Dios. Una vez recuperado, conquistado, Dios vendría a ser, a su vez, el «objeto de comunión cordial» que sostendría esa fraternidad. Pero meses antes, según ya vimos, en el artículo antes mencionado en que se refería a la posibilidad de «una comunión cordial entre los hombres», reconociendo que «una fe religiosa parece cosa difícil en nuestro tiempo», se limitaba a postular como «fundamento metafísico» de esa comunión una actitud ética, esto es, «creer que existe el prójimo». Tendiendo, pues, en último término a recuperar a Dios, o bien renunciando a él, Machado en todo caso pedía una actitud moral con respecto a nuestro prójimo, al otro, la cual cifraba en *creer* en él. Es quizá oportuno mencionar aquí la relación que tiene ese «creer» en el prójimo de Machado, con la *prueba moral* de Fichte en cuanto a la existencia de ese prójimo. El pensamiento de Fichte al respecto lo resume así Scheler en *Esencia...*: «Partiendo de una primitiva conciencia del deber, o de una pura conciencia de lo que debe ser... en cuanto núcleo y esencia del 'yo' puro, hay que 'exigir' la forzosa existencia de sujetos *extraños* con el carácter de un yo 'para los cuales' pueda 'yo' tener deberes» (p. 320). Y en cuanto al amor al prójimo como base del amor divino, escribe Scheler en la misma obra: «Es el universal amor a la persona una condición esencial para el amor a Dios.» El mismo se refiere, más adelante, lo mismo que Machado, a la necesidad de fundar, a su vez, ese amor al prójimo en «Dios como el sujeto correlativo de una relación entre personas anteriores por su origen a todos los demás» (op. cit., pp. 143 y 323). Ya dijimos que es posible, y aun probable, que Machado conociera esta obra de Scheler antes de escribir el apéndice; y muy probable es, en todo caso, que la conociera luego. En más de una ocasión, como vemos, el pensamiento de Machado parece tener cierta relación con el de Scheler. Pero es cierto también que, a veces, como en este caso, la coincidencia es en ideas que se pueden encontrar en otros muchos autores. Por ejemplo, en cuanto al amor al prójimo como base para la creencia en Dios, escribe Dostoievski, por boca del padre Zossima: «Esfuércese en amar al prójimo activamente y sin cesar. A medida que su amor aumente, se irá convenciendo de la existencia de Dios y de la inmortalidad del alma» (*Los hermanos Karamazov* [México, Nueva España, 1944], página 77). Y ya en la primera epístola de San Juan se lee: «El que no ama, no conoce a Dios» (IV, 8).

Pero lo malo es que Machado, que no podía creer

49

en la existencia objetiva de Dios, no podía tampoco creer con firmeza en la existencia real y verdadera, objetiva, de ese otro. Este idealismo no excluye en modo alguno, claro es, ese esfuerzo por *creer* éticamente en él, en el otro que ante nosotros aparece, exista en verdad o no. Al contrario, diríase que justamente por no acabar de convencerse de la objetividad del prójimo se esforzaba en comportarse de un modo decente ante él.

Para Machado ese *otro* que amamos y hacia el cual tendemos, ese otro que necesitamos, y del cual nuestra alma está llena, no existía en verdad sino con nosotros, en nuestro propio corazón. Con frecuencia se revolvía él contra esa creencia solipsista, y por ello podría pensarse que no era la suya. Sin embargo, leyéndole con atención poca duda puede caber de que esa «objetividad» que creía tan necesaria, y que por tantos caminos diferentes siempre trató de afirmar, en verdad era para él algo completamente ilusorio. Así lo dice en el apéndice: «Porque Abel Martín no ha superado, ni por un momento, el subjetivismo de su tiempo, considera toda objetividad propiamente dicha, como una apariencia, un vario espejismo...» Mas —y ésta es una idea en la que él a menudo insistió— esas apariencias tienen en nuestra vida, en la vida del poeta, que las ama, un papel análogo al que tendrían auténticas realidades. Y por ello agrega: «... apariencias, espejismos o proyecciones ilusorias, producto de un esfuerzo desesperado del ser o sujeto absoluto por rebasar su propia frontera, tienen un valor positivo, pues mediante ellas se alcanza *conciencia* en su sentido propio» (p. 373). Ya veremos por qué él dice que gracias a dichas apariencias alcanzamos conciencia de nuestro propio ser. Lo que ahora queremos destacar es la afirmación tajante de que son sólo «apariencias» esos seres que conmueven nuestro corazón. Y así pudo escribir en unos versos dedicados a *Guiomar,* a esa mujer que hoy sabemos existía, y que él la amó muy verdaderamente, que «todo amor es fantasía», aunque «no prueba nada, / contra el amor, que la amada / no haya existido jamás» (p. 430).

Al comienzo de la primera parte del apéndice escribía

50

Machado que el título de una de las obras de Abel Martín era «Las cinco formas de la objetividad». Mas en seguida agrega que el propio autor se veía obligado a reconocer que de esas cinco formas, cuatro de ellas —el mundo de la ciencia, el «mundo fenoménico», etc.— no eran sino «apariencias de objetividad». Y en cuanto a la última resultaba ser también «una quinta pretensión a lo objetivo... que parece referirse a un *otro* real, objeto de conocimiento, sino de amor» (pp. 358-359).

Ese otro, pues, en tanto que objeto de amor, es «real»; pero en verdad no resulta ser sino una «pretensión» de objetividad. Y hay, como aún veremos, un momento trágico en la filosofía de Machado, cuando el hombre descubre el carácter inmanente de lo otro todo, la ilusoria realidad de esos que él llama «reversos del ser» o proyecciones de nuestra conciencia. Entonces, en el mismo momento en que se descubre dicha inmanencia, se advierte el impulso que nos mueve hacia esos «reversos», hacia lo que no se halla sino dentro de nosotros mismos. En esa tensión consiste en último término la famosa «heterogeneidad del ser»; esto es, no sólo en el impulso hacia el otro, o lo otro, hacia Dios, sino en la conciencia que alcanzamos de la irrealidad de ese otro; conciencia de la imposibilidad de que se realice nuestro anhelo de solitarios. Por eso dice Machado que es el «fracaso del amor» lo que revela nuestra intimidad, nuestro ser. Es al descubrir que el otro no existe cuando ocurre el fracaso.

Hacia 1934, al comenzar *Juan de Mairena,* Machado decía: «*De lo uno a lo otro* es el gran tema de la metafísica... *Lo otro no existe:* tal es la fe racional... Abel Martín, con fe poética, no menos humana que la fe racional, creía *en lo otro,* en 'la esencial Heterogeneidad del ser', como si dijéramos, en la incurable *otredad* que padece *lo uno*» (p. 453). Aquí podría parecer que se contradice lo que en cuanto a su idealismo hemos afirmado, pero no se contradice. Lo que él afirma es que Martín creía en lo otro con «fe poética», y ésta, como Machado aclara más de una vez, es la del poeta que «como tal no renuncia a nada, ni pretende degradar

51

ninguna apariencia» (p. 376), esto es, la del que toma por realidades las apariencias, la del que se comporta ante ellas como si no fueran apariencias. Pero obsérvese, además, que si se dice que Martín creía en lo otro, con fe poética o como fuese, inmediatamente ese otro es identificado con la «esencial Heterogeneidad del ser», lo cual es «como si dijéramos» identificarlo con la *otredad* del alma, con la nostalgia de lo otro. En lo que Martín, pues, cree, en definitiva, es en su anhelo de lo otro, no en la objetividad de éste. Por algo califica Machado de «metafísica intrasubjetiva» (p. 374) esa de Martín, que era la suya.

En 1935 decía refiriéndose a Berkeley: «El solipsismo podrá responder o no a una realidad absoluta, ser o no verdadero; pero de absurdo no tiene un pelo. Es la conclusión inevitable y perfectamente lógica de todo subjetivismo extremado» (p. 650). Y claro es que ese solipsismo, para quien tanta importancia daba al prójimo, al amor, no deja de plantear un grave problema. Así el propio Mairena dice en la misma página: «El problema del amor al prójimo... nos plantea agudamente otro... el de la existencia real de nuestro prójimo. Porque si nuestro prójimo no existe, mal podremos amarle... la cuestión es grave. Meditad sobre ella.» Un alumno de Mairena objeta que para el amante «prácticamente no hay problema», y se apoya en el mismo razonamiento que Machado expone otras veces, esto es, que obrando las apariencias como realidades, siendo todo apariencia, es como si todo fuera realidad, y la cuestión de la objetividad del mundo externo carece de sentido. Pero a Machado no debía convencerle del todo ese argumento, ya que siempre a él volvía, y a la vez, siempre recaía en ese subjetivismo del cual quería salir.

Escribía en la primera parte del apéndice, refiriéndose al «mundo sensible», que éste «aunque pertenezca al sujeto, no por ello deja de ser una realidad firme e indestructible, sólo su objetividad es, a fin de cuentas, aparencial» (pp. 362-363). Y así vemos que Machado habla repetidamente del mundo «aparencial», es decir, de las representaciones que en nuestra mente tenemos

52

de las cosas del mundo, existan en verdad éstas o no. En último término no se trata de una negación de la realidad del mundo externo, sino tan sólo del hecho de que de ese mundo sólo conocemos la idea que tenemos de él en nuestra mente: la representación. «¿Qué sentido metafísico puede tener —decía mi maestro— el decretar la mayor o menor realidad de cuanto, más o menos descolorido, aparece en nuestra conciencia, toda vez que, fuera de ella, realidad e irrealidad son igualmente indemostrables? Cuando los filósofos vean esto claro... tendremos esa metafísica para poetas con que soñaba mi maestro» (p. 498). Y claro es que ahí no se niega que todo sea representaciones, que todo sea algo que «aparece en nuestra conciencia», sino lo que se indica es que *prácticamente* es como si todo existiera realmente, pues lo que importa es el hecho de que aparece. Y por ello se revolvía él a menudo contra el concepto de las «representaciones». Poco antes escribía que «una imagen en un espejo plantea para su percepción igual problema que el objeto mismo». Y por eso asegura que «la palabra *representación*... ha viciado toda la teoría del conocimiento» (p. 451). Mas si el objeto y la imagen de éste plantean para el observador analítico los mismos problemas, en cambio para quien siente la necesidad de *lo otro,* la necesidad de salir fuera de sí, es desazonador descubrir que ese otro lo hallamos sólo como imagen en el espejo de nuestra conciencia, y que la soledad es, por tanto, irremediable. Por ello en verdad no es tan ocioso hablar de representaciones. El mismo nos dice que es inevitable la angustia al descubrir que lo otro hacia lo cual tendemos es sólo parte de nosotros. Perdida «la inocencia» en la cual vivía confiado, el hombre se esfuerza en pensar «lo otro inmanente»... como trascendente, «como objeto de conocimiento y de amor», y entonces la «soledad y angustia es inevitable» (p. 377).

Más de una vez, desde sus años juveniles, debió quedar Machado absorto ante la irreductibilidad de dos creencias contradictorias; creencia en el carácter inmanente de todo contenido de conciencia, por un lado, y en la realidad del mundo externo, que se presenta como evidente incluso al más idealista, por otro. En un conocido prólogo, en 1917, refiriéndose a la época en que escribiera *Campos de Castilla*, decía: «Somos víctimas —pensaba yo— de un doble espejismo. Si miramos afuera y procuramos penetrar en las cosas, nuestro mundo externo pierde en solidez, y acaba por disipársenos cuando llegamos a creer que no existe por sí, sino por nosotros. Pero si, convencidos de la íntima realidad, miramos adentro, entonces todo nos parece venir de fuera, y en nuestro mundo interior, somos nosotros mismos lo que se desvanece» (p. 27). Veinte años más tarde, en el volumen II de *Juan de Mairena*, escribía: «Que todo, a fin de cuentas, sea uno y lo mismo es creencia racional de honda raíz... Y esto parece tan cierto como... lo contrario, a saber: que sin *lo otro*... toda la actividad racional carecería de sentido. De modo que todo el trabajo de nuestra inteligencia va acompañado de dos creencias contradictorias: en la existencia y en la no existencia de lo otro... Algunos hondos atisbos, en esta cuestión esencialísima, encontramos en la filosofía romántica, desde Fichte a Hegel, pero en estos dos pensadores triunfa la primera de las dos creencias, como claramente se ve... en Hegel (concepto de espíritu absoluto). Les faltó escepticismo para acercarse ansiosamente a la verdad y plantearse agudamente el problema» (pp. 780-781).

A Machado no le faltó ciertamente escepticismo ni pasión para plantear el problema en forma de paradoja, ya que Martín, por un lado, cree en «la sustancia única» y, por otro, en «la heterogeneidad del ser», y llega así a referirse a la «heterogeneidad de la sustancia única» (p. 360), como a una especie de universal «corriente erótica» de la cual la *otredad* del alma es sólo una parte. Hay, pues, un universal anhelo hacia lo *otro*, hacia un otro que no se encuentra sino dentro de lo *uno*, y así la sed es insaciable. Machado era un idealista que, inconforme con su soledad, buscaba en vano escapar del solipsismo. Era en último término un idealista, aunque se resistiera a admitirlo. Y en esto, una vez más, la posición de Machado no es muy diferente de la de otros filósofos contemporáneos suyos.

En lo que se refiere a Husserl, el parecido mayor consiste en que la realidad del «objeto intencional» no queda para éste en modo alguno garantizada. Todo ente que «está ahí para mí en el mundo de las cosas», nos dice Husserl, sólo tiene «una presunta realidad», aunque mi experiencia, en relación con él, sea una «absoluta realidad» (cf. *Ideas,* p. 145). Él, sin embargo, niega, y con razón, que sea el suyo «un idealismo como el de Berkeley» (op. cit., p. 168). Y basándose en un razonamiento análogo al de Machado, rechaza como perturbador el concepto de representación, pues él nos conduce a un «interminable regreso», es decir, resulta con él que todo viene a ser representación de representación. Por ello aconseja atenerse a «lo que no es dado en la pura experiencia», aceptándolo tal como «llega a nuestras manos» (op. cit., pp. 263-264). En el «Prefacio a la edición inglesa» de la misma obra, advierte que su idealismo fenomenológico «no niega la positiva existencia del mundo real», pues su objeto consiste sólo en «clarificar el sentido de ese mundo», mundo comúnmente aceptado como real, aunque en última instancia que éste no exista sea siempre algo «imaginable» (p. 21).

A pesar de todas esas reservas y salvedades, el idealismo fenomenológico de Husserl, como dice M. Farber (*The Foundation...,* p. 554), «aunque no sea berkeleyano en su carácter de todos modos hace uso del principio cardinal del idealismo». Pero es muy cierto también que en lo que Husserl se empeña sobre todo es en descartar como inútil la discusión en cuanto a la realidad del «mundo externo». Esto en su filosofía —descripción de esencias, de lo *dado* a la conciencia— carece de sentido. Como explica J. Xirau en *La filosofía de Husserl* (p. 69) en el análisis fenomenológico «la conciencia se halla en presencia inmediata del Ser. Y el Ser que me es de esta manera dado es el único ser del cual es posible razonablemente hablar. Toda su trascendencia se realiza en la inmanencia. Carece en rigor de sentido hablar de un ser 'dentro' de la conciencia y de un ser 'fuera' de la conciencia».

No es muy diferente la opinión de Heidegger, que dice: «La cuestión de si un mundo es y de si puede probarse su ser... es una cuestión sin sentido», como cuestión planteada por el *Dasein* (cf. *El ser...*, p. 233), ya que «*creer* en la 'realidad', del 'mundo exterior', con derecho o sin derecho, *probar* esta 'realidad', satisfactoria o insatisfactoriamente... presuponen un sujeto que empieza por *carecer de mundo* o no estar seguro del suyo» (op. cit., p. 237). Y luego agrega: «Frente al realismo tiene el *idealismo*... una fundamental ventaja, salvo que no se entienda... como idealismo 'psicológico'... Si el título de idealismo quiere decir el hecho de comprender que el ser no será explicable jamás por ningún ente, sino que es en cada paso ya para todo ente lo 'trascendental', en el idealismo está la única y la justa posibilidad de desarrollar los problemas filosóficos... Pero si idealismo significa la reducción de todos los entes a un sujeto o a una conciencia..., este idealismo no es menos ingenuo metódicamente que el más grosero realismo» (op. cit., pp. 238-239).

Por su parte, Scheler escribe en *Esencia...* que «la simpatía está ligada por *ley esencial* con el *tener por real* al sujeto con quien se simpatiza. Desaparece, pues, cuando en lugar del sujeto tenido por real aparece un sujeto dado como ficción, como 'imagen'. La plena superación del autoerotismo, del egocentrismo timético, del solipsismo real y del egoísmo, tiene lugar precisamente *en el acto* de simpatizar» (op. cit., p. 138), lo cual no deja de tener relación con lo que Machado escribe.

Y en cuanto a Bergson, muy de acuerdo con su propia filosofía, habla de una «percepción pura», muy diferente del recuerdo, mediante la cual «la realidad no sería ya construida o reconstruida, sino tocada, penetrada, vivida». Y de este modo, gracias a la intuición, quedaría superado «el problema pendiente entre el realismo y el idealismo» (*Matière et Mémoire* [París, 1908], páginas 62-63). Machado también trataba de eliminarlo, como Husserl o Heidegger (si bien inclinándose, y aun más que éstos, al idealismo).

Interesa recordar aquí la posición de Bergson al respecto, ya que éste tuvo sobre Machado una influencia indudable y decisiva, aunque a menudo, y en no pocos puntos esenciales, se apartara luego de él, como a continuación vamos a ver, antes de entrar, por último, en la «metafísica de poeta» de Martín y de Mairena, que es lo principal del apéndice, y lo más hondo y original del pensamiento de Machado, en estrecha relación con su poesía.

6. Bergsonismo y nostalgia de la razón

Machado, el solitario, buscaba salida en ese «laberinto de espejos» en que encontraba su alma encerrada. Creía él —nos dice en el apéndice— que la salida debería hallarse por el camino del amor; pero buscó además, muchas veces, salida por otro camino: el de la razón. Razón y amor a veces en Machado se oponen —sobre todo en el apéndice—, pero en más de una ocasión se refirió él a la necesidad de razón y de amor, conjuntamente.

Quería encontrar una realidad superior en la que pudieran comulgar las diferentes mónadas, y esa realidad —pensó a menudo con nostalgia del platonismo— bien pudiera ser descubierta por la razón. Un claro indicio de esa nostalgia se advierte ya en un poema de 1915, aproximadamente, según vamos en seguida a ver. Pero antes ya de esa fecha, la preocupación por la objetividad en el arte, que le llevó a escribir *Campos de Castilla,* entre 1907 y 1912, tiene ya el mismo sentido que la añoranza de razón: quiso salir de sí, de su prisión, y miró hacia el mundo de fuera, primero; y, poco después, reconocía la necesidad de una objetiva razón. En un prólogo de 1917, refiriéndose a *Campos...,* dice que se había propuesto en esa obra escribir «poemas de lo eterno humano», historias que, siendo suyas, «viviesen, no obstante, por sí mismas» y que por esa causa le había parecido el romance «suprema expresión de la poesía» (p. 28). Apenas aparecida esa obra advirtió Azorín lo que otros han visto luego: que lo original, lo característico de *Campos...* es «la objetivación del poeta en el paisaje que describe... paisaje y sentimiento... son una misma cosa; el poeta se traslada al objeto descrito y en la manera de describirlo nos da su propio espíritu» [8].

Muerta su esposa y trasladado Machado a Baeza, después de publicar en 1912 la primera edición de *Campos...,* aún escribiría algunos buenos poemas, sobre todo en los primeros años de su estancia en ese poblachón; pero, sin embargo, puede afirmarse, y el propio Machado así lo indica, que al quedar de nuevo a solas su vena poética se fue secando. En 1913, en un poema dedicado a su amigo Valcarce (pp. 252-253), lamentaba haber perdido «la voz que tuve antaño», y se preguntaba si ello sería porque le tentó «el enigma grave», y abrió con diminuta llave «el ventanal de fondo que da a la mar sombría», o bien sería porque murió «quien asentó mis pasos en la tierra», su esposa Leonor, y le espantaba la soledad. Y él se responde: «No sé, Valcarce, mas cantar no puedo / se ha dormido la voz en mi garganta...» Y que ello es así, se ve sobre todo en los años que siguen, y muy especialmente en *Nuevas canciones,* aunque de vez en cuando, y hasta su muerte, publicara aún algunos excelentes poemas. Tal vez pudiera decirse que el poeta fue en él muriendo mientras encerrado y triste, solitario en Baeza, o en Segovia luego, estudiaba filosofía y soñaba en una nueva sociedad y con una nueva poesía que no estaba aún en su mano. Quizá pueda decirse que el filósofo mató en él al poeta, aunque más probable parece que el filósofo naciera cuando el poeta, por alguna razón, había en él empezado a morir. Pero lo cierto es que, en todo caso, poesía y filosofía respondían en él a una misma angustia y a un mismo anhelo, que tenían en él una misma raíz.

Esto lo insinúa el mismo Machado cuando escribe en *J. de Mair.*, más de una vez, cosas como ésta: «Hay hombres, decía mi maestro, que van de la poética a la filosofía; otros que van de la filosofía a la poética. Lo inevitable es ir de lo uno a lo otro, en esto, como en todo» (p. 537). Y más adelante: «Se nos dirá que nuestra posición de poetas debe ser la del hombre ingenuo, que no se plantea ningún problema metafísico. Lo que estaría muy bien dicho si no fuera nuestra ingenuidad de hombres la que nos plantea constantemente esos problemas» (p. 599).

En cuanto a la decadencia de Machado como poeta, escribe Eugenio de Nora: «La escisión entre lo que él se sentía capaz de escribir y lo que creyó debería escribirse (junto con la repugnancia a la repetición de lo ya hecho), le lleva a un agotamiento cada vez mayor. En sus últimos años las dos vertientes, poética y teórica, van por caminos completamente distintos. Machado aboga por una nueva épica y sutiliza más que nunca las muestras escasísimas de su lirismo; insiste en que el sentimiento intuitivo de lo individual y fluyente es sustantivo al poeta, y, por el contrario, cerebraliza su obra hasta lo aforístico y alegórico» (cf. «Machado ante el futuro de la poesía lírica», *Cuad. Hispanoam.*, septiembre-diciembre 1949, p. 591). En cierto sentido esto es verdad. Pero es que muchas de sus poesías de *Nuevas canciones,* o del apéndice, y otras, deben ser consideradas como parte de su filosofía; expresión, más o menos velada, de su pensamiento, y no poesía lírica. «Poética y teórica» son esos últimos años, pues, la misma cosa, muy frecuentemente: teórica. Y esa «teórica» no implica nada diferente a su verdadera poesía, sino que, como tiendo a probar en este estudio, es sólo un comentario sobre ésta. Ello se verá con claridad más adelante.

Cuando el poeta comienza a transformarse en filósofo, poco después de 1912, comienza el humor, el escepticismo y la pasión. Y los temas que entonces comienzan a preocuparle no son, en esencia, sino los mismos que ya cuando poeta le preocupaban.

Apenas empieza a dar muestras de su interés por asuntos filosóficos, lo primero que indica es sentirse incómodo dentro de la prisión del subjetivismo kantiano (como antes se había sentido incómodo en la prisión de sus *Soledades,* mirando sólo a su propia alma). A Kant califica en un poema, escrito hacia 1915, de «esquilador de las aves altaneras» de la filosofía, ya que cortó el vuelo de la razón, trocando así el «ave divina» en «pobre gallina». Pero entre burlón y esperanzado, Machado continúa entonces en el mismo poema:

> Dicen que quiere saltar
> las tapias del corralón,
> y volar
> otra vez, hacia Platón.
> ¡Hurra! ¡Sea!
> ¡Feliz será quien lo vea! (p. 239).

Unos diez años después escribiría en su cuaderno de apuntes *Los Complementarios* que «Kant, con su crítica de la razón teórica, corta las alas al pensar metafísico...», abriendo así el camino del irracionalismo [9]. Él no se conformaba con ese irracionalismo; y devolver las alas al ave divina, hacer de nuevo posible el pensar metafísico, era sin duda lo que él soñó durante esos años; hasta que, en 1926, al escribir el apéndice, imaginara una nueva «metafísica» de poeta, cayendo a su vez en irracionalismo.

Pero ese anhelo suyo de razón a que nos referimos, mantenido durante años, y al que aún volvería luego, como veremos, después de haber escrito el apéndice, ese racionalismo suyo, mal concuerda con el bergsonismo que en él ya otros han reconocido, y que es sin duda evidente.

Bergson, como Machado, buscaba salida de la prisión kantiana, pero por medio de la intuición. La razón quedaba completamente eliminada como medio de conocimiento metafísico. Escribía Bergson, en 1896, en *Matière et mémoire:* «L'impuissance de la raison spéculative, telle que Kant l'a démontrée, n'est peut-être, au fond, que l'impuissance d'une intelligence asservie à certaines nécessités... La relativité de la connaissance ne serait donc pas définitive. En défaisant ce que ces besoins ont fait, nous rétablirions l'intuition dans sa pureté première et nous reprendrions contact avec le réel» (p. 203). Y años después, en el ensayo de 1903 «Introduction à la méthaphysique» repetía: «Les doctrines qui ont un fond d'intuition échappent à la critique kantienne dans l'exacte mesure où elles sont intuitives...» (cf. *La Pensée et le mouvant,* ed. A. Skira [Genève, 1946], p. 214). Y al terminar *L'Évolution créatrice* (ed. Alcan [París, 1908], pp. 288-390) insiste en establecer una distinción «que Kant ni quería ni podía admitir» entre intuición sensible, la única que Kant concebía, y con la cual no se alcanza sino «el fantasma de una inasible *cosa en sí*» y una «intuición intemporal», que nos pondría en contacto con la «durée» y nos permitiría captar los hechos desde dentro, «dans leur jaillissement même au lieu de les prendre une fois jaillis». Machado, en cambio, buscaba, como muchos otros después de Husserl, una restauración de la «razón helénica». Esta tendencia al racionalismo —en contradicción a veces, desde luego, con otras tendencias suyas— supone evidentemente una insatisfacción con el puro intuicionismo bergsoniano que, al señalar la influencia en él de Bergson, no se ha tenido en cuenta lo bastante. La influencia de Bergson en Machado es, por otra parte, indudable, pese a esa contradicción que supone la tendencia al racionalismo de Machado en ciertas ocasiones. Sobre esa influencia trata Carlos Clavería, quien dice, con mucha razón, que «un estudio detenido de los problemas metafísicos planteados por los apócrifos Abel Martín y Juan de Mairena demostraría hasta qué punto las ideas de Bergson estaban en la raíz de todos ellos»; y ve con claridad que casi todas las ideas de Machado en lo que se refiere a la poesía lírica son «como reminiscencias de lo que el bergsonismo tiene de *philosophie du changement*». Mas por no haber penetrado el señor Clavería —pese a las muchas e interesantes sugerencias que su trabajo contiene— en los «problemas metafísicos» planteados por Martín y Mairena, no hace, al señalar el influjo de Bergson, las necesarias distinciones, separando ése de otros influjos, o mostrando la originalidad de Machado donde la hay. Cómo Machado, partiendo de Bergson, se aleja luego de él, en el mismo apéndice, es algo que se verá con claridad cuando, más adelante, nos ocupemos de la «metafísica» de Martín y de Mairena.

Algunas indicaciones en cuanto a dicho influjo (que procuro sean complementarias a las que Clavería ofrece, bien por ser otras o por presentar el texto de Bergson) son éstas: «Il est incontestable que l'esprit s'oppose d'abord à la matière comme une unité pure à une multiplicité essentiellement divisible, que de plus nos perceptions se composent de qualités hétérogènes alors que l'univers perçu semble devoir se résoudre en changements homogènes et calculables. Il y aurait donc l'inextension et la qualité d'un côté, l'étendue et la quantité de l'autre», se lee en *Matière*... (p. 199). Ya dijimos anteriormente que la primitiva concepción de Machado sobre la «heterogeneidad del ser», en oposición a homogeneidad, procedía seguramente de Bergson, y que luego se superpone al primero el nuevo concepto de «heterogeneidad», como equivalente a *otredad*, según se ve en el apéndice. Pero en el mismo apéndice, que es donde Machado más antirracionalista —y por tanto más bergsoniano— se muestra, aunque no sólo bergsoniano, en el apéndice, sobre todo en la primera parte, al tratar de la poesía, se percibe como un eco de la cita anterior u otras análogas de Bergson, ya que incluso se usan las mismas palabras. La «pura unidad heterogénea», se llama a la conciencia (p. 378); y luego se opone (igual que en Bergson la intuición a la razón, el espíritu a la materia, lo *heterogéneo* y *cualitativo* a lo homogéneo y cuantitativo) la poesía a la lógica: «...el poeta pretende hacer de ella [la palabra] medio expresivo de lo psíquico individual, objeto único, valor cualitativo». Las «formas de objetividad», lo racional, lo lógico son «ante todo homogeneidad, descualificación de lo esencialmente cualitativo... Pero... la poesía... no puede ser sino una actividad de sentido inverso al del pensamiento lógico...

63

urge devolverle [al ser] su rica, inagotable heterogeneidad. Este nuevo... pensar poético ...se da entre realidades, no entre sombras; entre intuiciones, no entre conceptos» (pp. 379-381).

En el ensayo de Bergson, «Introduction à la metaphy-
sique», se lee: «...il n'y a aucum moyen de reconstituer,
avec la fixité les concepts, la mobilité du réel" (*La pensée...*, p. 203). Y Machado, en el apéndice: «Los conceptos o formas captoras de lo real no pueden ser rí-
gidos, si han de adaptarse a la constante mutabilidad
de lo real» (p. 367).

Las distinciones de Machado entre *movimiento* y
mutabilidad, que se leen al principio del apéndice, y que
él repite en otras ocasiones, no parecen sino reflejo de
lo que sobre el mismo tema se lee en *Matière...*, especialmente las páginas 207-243. Análogas ideas repite
Bergson en su conferencia, «La perception du changement», donde dice: «Il y a des changements, mais il
n'y a pas sous le changement, des choses qui changent...
Il y a des mouvements, mais il n'y a pas d'objet inerte,
invariable, qui se meuve» (*La Pensée...*, p. 159). Y Machado: «Sólo se mueven —dice Abel Martín— las cosas que no cambian... Su cambio real, íntimo, no puede
ser percibido —ni pensado— como movimiento..., pero
sí intuido... No hay, pues, razón para establecer relación alguna entre cambio y movimiento» (pp. 354-355).
Que esta distinción entre cambio, entendido como cambio sustancial, y movimiento, o sea desplazamiento, pro-
ceda de Aristóteles, no quita a las especulaciones de
Machado al respecto su carácter típicamente bergsoniano.

En la nota que precede a la selección de poesías de
Machado, en la antología de Gerardo Diego, *Poesía española* (Madrid, 1932), de nuevo, repitiendo lo dicho en
el apéndice, aparece bergsoniano al decir que «las ideas
del poeta no son categorías formales, cápsulas lógicas,
sino directas intuiciones del ser que deviene, de su propio existir». Y ahí él habla también de la «onda fugi-
tiva» del «río de Heráclito». En esa misma nota recuerda Machado que asistió «a un curso de Henry Bergson
en el Colegio de Francia». Ello debió ser en 1911. No

es seguro que Machado leyera a Bergson antes de esa fecha. Sin embargo, en *Soledades* hay muchas poesías que parecen tener relación muy directa con lo que escribe el autor de *Materia y memoria*. Aunque tal vez hay que suponer que fue precisamente el «bergsonismo» *a priori* de Machado en esos poemas lo que le llevó a interesarse tanto, posteriormente, por la filosofía de Bergson. Una prueba de que Machado no era tan fiel discípulo de Begson como ha podido pensarse está ya en el *Poema de un día,* de 1913, donde precisamente le nombra diciendo que éste «ha hallado el libre albedrío / dentro de su mechinal» (pp. 211-212). Y termina diciendo:

> Sobre la mesa *Los datos*
> *de la conciencia,* inmediatos.
> No está mal
> este yo fundamental,
> contingente y libre, a ratos,
> creativo, original;
> de este yo que vive y siente
> dentro la carne mortal
> ¡ay! por saltar impaciente
> las bardas de su corral (p. 214).

Unas páginas más adelante (pp. 237-238) se refiere, en otro poema, al contraste entre razón e intuición (*Hay dos modos de conciencia: / una es luz, y otra paciencia...*), y entonces, escéptico, se pregunta qué es más inútil, ese «ir arrojando a la arena, / muertos, los peces del mar» (que es lo que, según Bergson, viene a hacer la razón, ya que ésta solidifica y mata cuanto toca) o esa bergsoniana «conciencia de visionario», esa intuición que nada firme capta, «que mira en el hondo acuario / peces vivos, / fugitivos, / que no se pueden pescar».

En 1925, en las «Reflexiones sobre la lírica», publicadas en *Revista de Occidente,* se muestra Machado muy bergsoniano, en efecto, con su distinción entre imágenes conceptuales y otras intuitivas, que son las «específicamente líricas». Mas en el mismo ensayo, sin dejar lugar a dudas en cuanto a esa nostalgia de razón y objetividad a que nos estamos refiriendo, agrega: «Volverá a ser lo humano definido por lo racional..., el intuicionismo moderno, más que una filosofía inicial parece el término... del antiintelectualismo del pasado siglo... Para refutarlo habrá que volver de algún modo a Platón.» Y hablando del «hombre nuevo», hombre del futuro, escribe proféticamente: «Su mundo se ilumina, quiere poblarse no de fantasmas, sino de figuras reales», pero «los poetas del mañana» aspirarán a la «objetividad», pues ya «el espejo de Narciso ha perdido su azogue». Contra el narcisismo, desde años, nos venía él poniendo en guardia [10]. El mejor remedio contra el narcisismo es mirar a los otros, es el amor; y amor es lo que aconsejaba él en el apéndice, en el cual con signo distinto —bajo el signo del irracionalismo— no haría sino continuar sus meditaciones anteriores. Razón y objetividad, y amor, no eran para él sino medios distintos, y a veces coincidentes, de aspirar a un mismo objeto: la comunicación de las almas.

Si en el apéndice habla sobre todo de amor, en las «Reflexiones...», un año antes, muestra sobre todo su aspiración a la objetividad y a la razón. Y por ello, una vez más recuerda, aunque sea vagamente, a Husserl, al que no debía haber leído por entonces, como ya anteriormente indicamos y como lo probaría el hecho de que en ese mismo artículo de 1925 se refiera al «intuicionismo moderno», el de Bergson, como a «la última filosofía que anda por el mundo». Con Husserl, desde principios de siglo, se inicia esa corriente de la filosofía contemporánea, en cierto modo una reacción contra Bergson, que tiende a superar el puro intuicionismo y vuelve los ojos hacia Platón. Machado, bergsoniano, aspira, sin embargo, a la razón, a devolver a la razón sus alas. Y el propio Husserl nos indica que él se propone una síntesis de intuición y razón cuando se refiere al «método intutivo concreto, pero a la vez apodíctico, de la fenomenología» (*Médit.*, op. cit., p. 118). Método que consiste, escribía mucho antes, en «fijar en forma teórica y controlar sistemáticamente a través de conceptos y formulación de leyes lo que brota de la pura intuición esencial» *(Ideas,* op. cit., p. 376). Esa intuición esencial, intuición de lo inmediatamente *dado,* es cosa diferente de la intuición de que habla Bergson, opuesta al pensamiento discursivo, pero es intuición de todos modos, y de lo que se trata, con el método fenomenológico, es de racionalizar ésta con objeto de que se puedan «pescar» los peces intuidos. Pero de ningún modo queremos, sin embargo, exagerar la similitud entre Husserl y Machado en este punto, que se limita a una analogía de las tendencias de ambos. Y aun así, aparte de que en Machado no haya método, y que su racionalismo consista sólo en un aspirar a la razón, éste no es nunca tan extremado ni consistente como en Husserl. Contra el extremado racionalismo de su maestro reaccionan Scheler y Heidegger. «La filosofía de Max Scheler y la de Heidegger han resultado en buena parte del intento de rectificar el intelectualismo de Husserl», escribe J. Xirau *(La fil. de Husserl,* p. 153). Se han negado ciertos discípulos, sobre todo, a aceptar esa suspensión de las creencias existenciales, es decir, en las palabras de Xirau, ese «acto mediante el cual la conciencia filosófica reduce la realidad y la pone 'entre paréntesis' para dejar de vivirla y hacerla objeto de pura contemplación desinteresada». Se han negado, ya que Husserl, acaso, dice Xirau, no tiene «suficientemente en cuenta que el acto mediante el cual realizamos la reducción es un acto contrario a la 'ingenuidad' de la vida... La meditación más ceñida de estos problemas ha dado lugar al nacimiento de la llamada Filosofía 'existencial' y a una nueva derivación heterodoxa de la Fenomenología llevada a cabo sobre todo por obra de Heidegger» (páginas 244-245). Y Machado, por su parte, que, como hemos dicho, en el apéndice reacciona contra sí mismo olvidando completamente sus anteriores —y posteriores— tendencias racionalistas, viene así a coincidir con ellos, sobre todo con Heidegger, como pronto vamos a ver.

Si Machado señala como caminos de salvación a veces el de la razón y a veces el del amor, en otras ocasiones se refiere a ambos conjuntamente. En una conferencia de 1922, prácticamente desconocida hasta hace pocos años (cuando se publicó en el número dedicado a Machado de *Cuadernos Hispanamericanos,* en 1949) se trata de las peculiaridades de la novela rusa, de Dostoievski especialmente, donde los personajes actúan a menudo irracionalmente, pero movidos por el resorte de la caridad, y dice Machado que lo que sucede es que hay dos formas de «universalidad», una la razón y otra «que no la expresa el pensamiento abstracto, que no es hija de la dialéctica, sino del amor, que no es de fuente helénica, sino cristiana: se llama fraternidad...». Cosa parecida repetiría luego muchas veces. En 1931, pasado ese momento de acusado irracionalismo que muestra en el apéndice, escribe en unas notas que habían de constituir un discurso de ingreso en la Academia, las cuales se han publicado por vez primera en 1951, que el remedio de la crisis que sufre el hombre contemporáneo ha de hallarse en un retorno a la razón y a la vez al amor, a la fraternidad[11].

Comienza en ese inacabado discurso afirmando que el siglo xix «marca una extrema posición subjetiva. Casi todo él milita contra el objeto. Kant lo elimina...». De Kant se derivan, continúa, la soledad y el irracionalismo, cuyo extremo observamos en el arte contemporáneo (de 1931, claro es...). Pero al fin volverá a descubrirse «la maravilla de las cosas y el milagro de la razón». Y luego, en la parte que titula «El mañana» vuelve a hablar de la razón, que es «comunidad mental de una pluralidad de sujetos en las ideas trascendentes», y de la «más sutil dialéctica de Cristo, que revela el objeto cordial y funda la fraternidad de los hombres». El mañana, pues, acaba diciendo, bien pudiera ser: «Un retorno... a la objetividad, por un lado, y a la fraternidad, por otro. Una nueva fe... se ha iniciado ya... Se torna a creer en *lo otro* y en *el otro,* en la esencial heterogeneidad del ser.»

Y cuatro años después, en Juan de Mairena, repetiría: «La fe platónica en las ideas trascendentales salvó a Grecia del *solus ipse*... La razón humana es pensamiento genérico. Quien razona afirma la existencia de un prójimo, la necesidad del diálogo, la posible comunión mental entre los hombres... Para nosotros lo esencial del platonismo es una fe en la realidad metafísica de la idea... Pero no basta la razón, el invento socrático, para crear la convivencia humana; ésta precisa también la comunión cordial, una convergencia de corazones en un mismo objeto de amor. Tal fue la hazaña del Cristo...» (pp. 518-519).

No cabe, pues, duda que antes y después de escrito el apéndice Machado mostró una nostalgia de razón helénica, aunque no considerara ésta el medio único, ni siquiera el principal, de librar a la mónada de su soledad. Pero, repetimos, su racionalismo se limitaba a una «nostalgia de razón». En verdad tenía él mucha menos fe que solían tener los griegos, o tenía Husserl, en el poder de la razón. Mas se resistía casi siempre —salvo en el apéndice— a abandonar ésta y a caer en el subjetivismo, en el irracionalismo y la desesperación. Tal vez, precisamente porque de ahí había partido y de ahí quería salir, aunque no lo lograse. La falta de fe de Machado en la razón y, a la vez, su resistencia a abandonar ésta, se ve, por ejemplo, cuando en *J. de Mair.,* escribe: «*Que el ser y el pensar no coincidan ni por casualidad* es una afirmación demasiado rotunda, que nosotros no haremos nunca. Sospechamos que no coinciden, que no pueden coincidir... Y esto, en cierto modo, nos consuela» (p. 707). Es decir, lo que «consuela» es que sea sólo *sospecha*, no seguridad. Más de una vez indicó él que en el verdadero «escepticismo» reside la última esperanza: en dudar tanto de lo positivo, y de lo negativo, como de la duda misma. Por otra parte, lo que en 1935 ó 1936 dice que «no haremos nunca», lo había ya hecho diez años antes, cuando, en la primera parte del apéndice, bajo el influjo del irracionalismo bergsoniano, afirma rotundamente: «Contra la sentencia clásica, el ser y el pensar (el pensar homogeneizador) no coinciden, ni por casualidad» (p. 380). No acaba nunca de aceptar completamente, con entusiasmo, el irracionalismo bergsoniano, que no le parecía a él una solución, aun estando tan influido por Bergson. Ese influjo por un lado y esta repulsa, esa nostalgia de razón por otro, da lugar a veces, en las prosas de Machado, a páginas en extremo confusas, así como a afirmaciones divergentes y aun contradictorias. Compárese, por ejemplo, eso ya citado de las «Reflexiones...», de 1925, de que «habrá que volver de algún modo a Platón», con lo que en la misma *Revista de Occidente* decía un año después, en la primera parte del apéndice, de que las ideas platónicas no tienen «realidad esencial, *per se*, son meros trasuntos o copias descoloridas de las esencias reales que integran el ser» (p. 374). Luego, en *J. de Mair.*, dice: «Conviene creer las ideas platónicas... Sin la absoluta trascendencia de las ideas, iguales para todos..., la razón, como estructura común a una pluralidad de espíritus..., no tendría razón de existir» (p. 518). Y, en cambio, días antes, recayendo en el escepticismo, escribía: «Porque todo es creer, amigos, y tan creencia es el *sí* como el *no*. Nada importante se refuta ni se demuestra, aunque se pase de creer lo uno a creer lo otro. Platón creía que las cosas sensibles eran copias más o menos borrosas de las ideas..., para vosotros lo borroso y descolorido son las ideas...» (p. 515). Y días antes aún, recayendo en el bergsonismo, repetía lo dicho en la primera parte del apéndice de que es necesario oponer el «pensamiento poético, esencialmente heterogeneizador» al «pensamiento lógico o matemático, que es pensamiento homogeneizador» (p. 513).

Y ahora vamos a lo que constituye la parte principal y más oscura de su obra, la «metafísica» de que se habla en el apéndice. Para acercanos a ella, cuanto hemos dicho sobre el Dios de Machado, sobre su idealismo y ansia de *lo otro,* sobre su ansia de salvación, espero que nos ha de ayudar bastante.

Lo característico de esa metafísica, mucho más pesimista de lo que parece por el tono de guasa con que se expone, es que con ella dejan ya de buscarse *soluciones*. De lo que se trata ahora, renunciando a la razón, y en último término a la esperanza, es de *darse cuenta* de nuestra situación, o, como Machado dice, de adquirir plena conciencia de nuestro propio ser. Y es ahí sobre todo en lo que él se acerca, y mucho, a Heidegger.

7. La «metafísica de poeta» de Martín y de Mairena

Ya vimos que con las «rimas eróticas» que se incluyen en la primera parte del apéndice Machado tendía sobre todo a indicar la necesidad que del amor se tiene como medio de conocimiento, aunque no sea más que como medio de conocimiento de nosotros mismos. En el mismo apéndice, después de tratar de esas rimas, Machado escribe: «La conciencia —dice Abel Martín—, como reflexión o pretenso conocer del conocer, sería, sin el amor o impulso hacia lo otro, el anzuelo en constante espera de pescarse a sí mismo» (pp. 372-373).

Ahora bien, en la conciencia hay ese impulso hacia lo otro, ese amor: esto es lo que él dice constantemente, y de ahí las rimas eróticas. Mas como a causa del idealismo de Machado —del cual ya hemos tratado— resulta que «la amada es imposible», ya que el otro no tiene verdadera realidad fuera de la conciencia; como resulta que el amor «no encuentra objeto», así, tras el impulso hacia el amor, la conciencia ha de volver a sí, derrotada. Por eso Machado agrega, después de las líneas citadas: «Mas la conciencia existe, como actividad reflexiva, porque vuelve sobre sí misma, agotado su impulso por alcanzar el objeto trascendente. Entonces reconoce su limitación y se ve a sí misma como tensión erótica, impulso hacia *lo otro* inasequible... Descubre el amor como... *su otro inmanente,* y se le revela la esencial heterogeneidad de la sustancia» (p. 373). Esto constituye uno de los puntos básicos de su pensamiento en la primera parte del apéndice. Adquirimos consciencia de la «heterogeneidad» del ser, de nuestro ser, a la vez que advertimos la imposibilidad del amor, el carácter inmanente, inasequible, de eso otro a que aspiramos. Y ese trágico sentimiento es el que nos revela «la esencial heterogeneidad de la sustancia», el ansia de amor que todo padece, una sed nunca satisfecha.

Comprendido lo que ahí dice Machado, se entienden mejor ciertas frases hermenéuticas —cargadas de ironía— que aparecen sueltas en la primera parte del apéndice, como esa que define el amor como «autorrevelación de la esencial heterogeneidad de la sustancia única» (p. 360). El amor, o, con más exactitud, el fracaso del amor, como él dice luego, el amor «en el camino de vuelta», nos revela la heterogeneidad de nuestro ser y así, a la vez, se descubre la «heterogeneidad de la sustancia única». Sustancia «única», ya que para el panteísta Martín todo es uno y lo mismo.

Y se comprende también, teniendo en cuenta esa esencial heterogeneidad de la sustancia, por qué se agrega, en la misma página antes citada, que la conciencia, al volver sobre sí misma, tras el fracaso del amor, supone una reflexión «más aparente que real, porque, en verdad, no vuelve sobre sí misma para captarse como pura actividad consciente, sino sobre la corriente erótica que brota con ella de las mismas entrañas del ser» (p. 373).

Resulta, pues, que la heterogeneidad del ser propio no es sino parte de una universal corriente erótica: la heterogeneidad del ser, entendido «ser» como el ser de la persona, no es sino parte de la esencial heterogeneidad del ser, del *ser* en general. Y ese fracaso del amor, ese como viaje de vuelta de la conciencia, gracias al cual dicha heterogeneidad particular y universal se descubre, era para Machado, por tanto, una experiencia básica. A ella probablemente aludía al referirse a «la hora de la primera angustia erótica», a ese hondo «sentimiento de soledad» que él recuerda en los versos ya citados: «¡Y cómo aquella ausencia en una cita, / bajo los olmos que noviembre dora, / del fondo de mi historia resucita!» (p. 383). Versos del apéndice que él ya advirtió, según vimos al comienzo de este estudio, no aluden «a ninguna anécdota amorosa de pasión no correspondida», sino a «un sentimiento de ausencia».

Mas Abel Martín, a pesar de su panteísmo, o precisamente por él, lo que quería es que la conciencia se capte a sí misma, es decir, lo que quería era separar de la universal corriente erótica su particular heterogeneidad. Por eso dice: «La conciencia llega, por ansia de lo otro, al límite de su esfuerzo, a pensarse a sí misma como objeto total, a pensarse como no es, a deseerse. El trágico erotismo de Espinosa llevó a un límite infranqueable la desubjetivación del sujeto. '¿Y cómo no intentar —dice Martín— devolver a *lo que es* su propia intimidad?' Esta empresa fue iniciada por Leibnitz —filósofo del porvenir, añade Martín—; pero sólo puede ser consumada por la poesía, que define Martín como aspiración a conciencia integral» (p. 376).

El propósito es, pues, devolver al ser, a la conciencia, su intimidad plena. Y esto habrá de conseguirse por la poesía, que es «hija del gran fracaso del amor» (página 377). Machado, por influencia sin duda de Bergson, opone constantemente la poesía, el «pensar poético», que es el que descubre la heterogeneidad del ser, al pensar lógico «homogeneizador», que todo lo seca e iguala. Mas si es la poesía quien nos devuelve la intimidad, esa intimidad se alcanza, nos dice en la página siguiente, al volver sobre nosotros mismos, ya que sólo entonces «puede el hombre llegar a la visión real de la conciencia…, a verse, a *serse* en plena y fecunda intimidad». Y así «el pindárico *sé el que eres,* es el término de este camino de vuelta, la meta que el poeta pretende alcanzar» (p. 378). En ello, sin embargo, pese a lo muy confusas que son estas páginas, no hay, tal vez, contradicción alguna: se alcanza la intimidad *por la poesía y en el fracaso del amor,* ya que la poesía es hija de ese fracaso, nos dice él. Mas ¿por qué, se preguntará, surge la poesía de ese fracaso? ¿Y por qué nos devuelve ésta la intimidad? ¿Qué quiere decir con todo ello? Machado viene a decir, creo yo, lo siguiente:

Cuando la conciencia vuelve sobre sí misma, tras el fracaso del amor, es decir, cuando el hombre descubre la *otredad* sin objeto de su alma, cuando descubre su soledad, se siente angustiado, perdido, «arrojado en medio del mundo», como diría Heidegger. Este es el momento, dice Heidegger, y vamos a ver, viene a decir también Machado, en que el hombre descubre la nada, experimenta el sentimiento de la nada. Y es entonces cuando, asombrado, se pregunta por sí mismo por lo que él es y por las cosas que ante sí aparecen; es decir, es entonces cuando el hombre se plantea con toda su fuerza original la pregunta por el *ser,* la pregunta que es origen de la metafísica, tanto como de la poesía. Por algo Machado dice que la metafísica, tanto como la poesía, son hijas «del gran fracaso del amor». Esta es la situación básica. Tras ella el hombre puede adoptar una actitud especulativa, y entonces da en filósofo, o puede alargar, repetir esa emoción primera, recordarla constantemente, ser fiel a ella, y sólo a ella, es decir, adoptar una actitud lírica, y entonces da en poeta. Ahora bien, Machado cree, en el apéndice donde tan bergsoniano se muestra, que el razonamiento ahoga la emoción contenida en el primer asombro, es decir, que la filosofía nos aleja de la original cuestión, y por ello rechaza la «lógica», y con ella toda la metafísica tradicional, y se inclina hacia la poesía, que reproduciendo en cada instante la pregunta primera por el ser, el misterio primero, nos devuelve nuestra «propia intimidad». La actitud especulativa, dice, supone en cambio una «actitud teórica, de visión a distancia»; y las «ideas», ideas platónicas, aunque sean también «hijas del amor, y, en cierto modo del gran fracaso del amor», se convierten en «conjunto de signos..., meros trasuntos o copias descoloridas de las esencias reales que integran el ser» (pp. 373-374). Por eso él rechaza la metafísica y se inclina hacia la poesía; pero como ahí él no hace sino filosofía, es decir, como lo que hace en el apéndice es reflexionar sobre el carácter esencial de la poesía, de cierta poesía al menos, la que él llama poesía «temporal», por eso es la suya una peculiar «metafísica de poeta». No sólo una metafísica hecha por un poeta, sino también una metafísica basada en la poesía, basada en el valor revelador de la poesía, como medio de, alejándonos de la banalidad, recobrar nuestra intimidad y adquirir conciencia de nuestro propio ser.

Desde luego, al ofrecer esta explicación, vamos más allá de lo que Machado dice, explícitamente, en las páginas hasta ahora citadas. Pero ya veremos que todo cuanto él agrega, más adelante, lo confirma. Machado mismo reconoce la oscuridad de esas páginas, agregando que ello es «inevitable en una metafísica de poeta» (p. 375). Mas la oscuridad se debe también, creo yo, en este caso, a que esa metafísica nunca fue por él pensada sistemáticamente, y menos que nunca al principio, en la primera parte del apéndice. Ahí, a la metafísica tradicional, racionalista, se opone, como decimos, una «metafísica de poeta», de la cual aún vamos a hablar, de tono existencialista; pero se opone *además* a esa misma metafísica tradicional —y éste es uno de los mayores motivos de confusión en la primera parte— una «lógica temporal» de carácter bergsoniano, de la cual luego ya no vuelve a hablarse; una lógica que está sólo sugerida, apuntada, y «en la cual todo razonamiento debe adoptar la manera fluida de la intuición» (página 366). Machado parte de Bergson, en el apéndice, pero pronto, en el mismo, se aleja de él, y su irracionalismo deja de ser el propio del intuicionismo bergsoniano. En relación con esa «lógica temporal» martineana, se dice también que es el «lenguaje poético» el más adecuado para intentar la captación de la mutable realidad, ya que él puede «sugerir la evolución de las premisas asentadas», creándose así una lógica «en que A no es nunca A en dos momentos sucesivos» (p. 367). Y más adelante: «Necesita, pues, el pensar poético una nueva dialéctica, sin negaciones ni contrarios, que Abel Martín llama lírica y, otras veces, mágica, la lógica del cambio sustancial o devenir inmóvil, del ser cambiando o el cambio siendo» (pp. 381-382). Pero en la segunda parte, de dos años después, ya no vuelve a tratarse de esa lógica temporal o dialéctica «mágica», y en cambio se desarrolla esa filosofía existencial, esa «metafísica de poeta» que en la primera parte aparece sólo muy confusamente esbozada. La «lógica temporal» y la «metafísica de poeta» sólo tienen en común el oponerse a la filosofía tradicional, intelectualista, y en volver los ojos hacia la poesía. Pero lo que empieza por ser sólo un eco de Bergson, acaba luego siendo un pensamiento precursor del de Heidegger y otros existencialistas, como en seguida vamos a ver.

Alguna relación sin duda existe (aunque ésta resulte oscura, y aunque no fuera la que hemos indicado) entre lo que Machado, al tratar de su metafísica, dice sobre el «fracaso del amor» y la «heterogeneidad del ser», gracias a lo cual se nos revela nuestra propia intimidad, y lo que dice de «la poesía» como medio también de alcanzar intimidad. La relación de todos modos no puede resultar clara sin ver antes más de cerca lo que él dice sobre la poesía «temporal», una poesía que tiene como base la angustia, el sentimiento de la nada. Antes, pues, de ir a ver, finalmente, el papel que en su «metafísica de poeta» tiene la poesía, veamos lo que en el mismo apéndice se dice en cuanto a la nada como fundamento de la pregunta por el *ser*.

8. El ser y la nada

Al final de la primera parte del apéndice, con el poema *Al gran cero,* Machado se refiere ya a la nada como causa de la revelación del *ser,* de la pregunta por el *ser;* es decir, trata Machado ya en 1926 de lo mismo que se ocuparía Heidegger en *Was ist Metaphysik?* en 1929.

Para Martín la verdadera creación de Dios no es el mundo, sino la nada, que por eso él llama «cero divino». Mas es claro que Machado creía mucho más en la realidad de esa nada, en la realidad de ese cero, que en su presunta divinidad. Asegurar que la obra de Dios es la nada, no es sino un modo de negar la clásica concepción cristiana, según la cual Dios creó el mundo extrayéndolo de la nada. Ya Tertuliano, al expresar cuál era su credo, escribía, a principios del siglo III, que no hay sino un solo Dios, creador del mundo, «qui universa de nihilo produxerit» (*De praescriptione haereticorum,* XIII). Santo Tomás dice que «*la creación, que es la emanación de todo el ser,* se hace del no-ser, que es la nada» (*Sum. Theol.* I, c. 45, a. 1). San Agustín, al comienzo del libro XII de *Las confesiones,* escribe igualmente que Dios creó el mundo «de la nada».

Leibnitz escribe: «On voit bien cependant que Dieu n'est pas la cause du mal... Et c'est à quoi se doit réduire à mon avis le sentiment de S. Augustin et d'autres auteurs que la racine du mal est dans le néant, c'est à dire dans la privation ou limitation des créatures, à laquelle Dieu remédie gracieusement» (*Discours de métaphysique,* XXX, ed. H. Lestienne [París, 1929], páginas 80-81). Y K. Barth, por su parte, escribió: «I am speaking... to make clear that this whole realm that we term evil —death, sin, the Devil and hell— is *not* God's creation, but rather what was excluded by God's creation» (*Dogmatics...,* p. 57). Para los cristianos, pues, Dios no es el creador del mal, que es lo no creado, lo no iluminado por Él, o bien lo degradado. Y tampoco pudo Dios crear la nada —si algún sentido tiene esto—, ya que la nada se identifica con el mal.

Machado, en cambio, al comentar el poema *Al gran cero,* escribe en oposición a los cristianos, que «Dios, como creador y conservador del mundo, le parece a Abel Martín una concepción judaica, tan sacrílega como absurda. La nada, en cambio, es en cierto modo una creación divina...» (p. 383). Y en el volumen II de *J. de Mair.:* «Dios sacó la Nada del mundo para que nosotros pudiéramos sacar el mundo de la nada» (p. 779).

Era para Martín esa nada como una negra «pizarra» sobre la cual el *ser* de las cosas se dibuja. Ello quiere decir que si no hubiera *nada* no hablaríamos del *ser,* no nos preguntaríamos por lo que las cosas en verdad sean, por su verdadera realidad; ni nos preguntaríamos por nosotros mismos, por nuestro propio *ser.* El pensamiento, escribe Machado en el apéndice, en 1926, «necesita de la nada para pensar lo que es» (p. 384). Es el temor de la muerte lo que hace entrañable nuestro pensar. Si no hubiera tiempo, tiempo que lleva a la nada, si las cosas no amenazaran a cada paso desaparecer, como nosotros mismos, no nos asombraríamos. La nada «asombra» al poeta, dice por eso Machado, en la segunda parte del apéndice (p. 402). Es, en suma, la nada lo que nos hace mirar con extrañeza, y dicha extrañeza es lo que constituye la pregunta por el *ser.* Que éste es el sentido verdadero de lo que Machado dice, se ve con más claridad en la segunda parte que en la primera, y se confirma luego en *Juan de Mairena.* Pero ya en la primera es muy significativo lo que se indica en el poema *Al gran cero,* poema humorístico y rarísimo que empieza así:

> Cuando *el Ser que se es* hizo la nada
> y reposó, que bien lo merecía,
> ya tuvo el día noche, y compañía
> tuvo el hombre en la ausencia de la amada.

Es decir, cuando Dios hizo la nada, el día tuvo su complemento en la noche. Gracias a la *noche* es posible percibir el día, lo creado, lo que es, pues si todo fuera día, sin el contraste necesario, no advertiríamos que era *día,* como no es posible pensar el ser sin la nada. Y que esa nada diera al hombre «compañía» en la ausencia de la amada, indica probablemente lo que antes ya dijimos: que la revelación de la nada coincide con el fracaso del amor. Sigue el poema:

> ¡Fiat umbra! Brotó el pensar humano
> y el huevo universal alzó, vacío,
> ya sin color, desustanciado y frío,
> lleno de niebla ingrávida, en su mano.
>
> Toma el cero integral, la hueca esfera,
> que has de mirar, si lo has de ver, erguido.
> Hoy que es espalda el lomo de tu fiera,
>
> y es el milagro del no ser cumplido,
> brinda, poeta, un canto de frontera
> a la muerte, al silencio y al olvido (p. 383).

El «pensar humano», el pensar sobre el «huevo universal», sobre el mundo, brota gracias a la nada, gracias al «cero integral», a la «hueca esfera». Sólo gracias a esa nada se «ve» realmente el mundo: gracias al *no-ser.* Por eso Dios empieza por dar al hombre lo contrario del ser, el huevo «desustanciado y frío, lleno de niebla ingrávida». Esa nada, «el milagro del no ser», es lo que estando erguidos, al ser hombres, produce en nosotros el asombro del ser y da origen a la metafísica; y esa nada es también lo que hace al poeta cantar, cantar «a la muerte, al silencio y al olvido». Hace cantar porque las cosas van a desaparecer, como nosotros, hundiéndose en la muerte, el silencio y el olvido. Y cantar con «canto de frontera», pues el poeta canta sintiéndose al borde de la nada como a punto de desaparecer. Este canto sólo es posible cuando el hombre es plenamente hombre, cuando su espíritu despierta, esto es, cuando «el lomo» de la fiera se convierte en humana «espalda». De la nada, pues, brota la metafísica, en su raíz, y brota la poesía «temporal».

Quizá esta explicación, que me parece es la primera que se aventura en cuanto al significado de dicho poema, no parezca demasiado audaz teniendo en cuenta lo que más tarde dice Machado mismo; y lo que escribe incluso a continuación del poema, a modo de comentario de éste, que ahora resultará clarísimo: «La nada... es, en cierto modo, una creación divina, un milagro del ser, obrado por éste para pensarse en su totalidad. Dicho de otro modo: Dios regala al hombre el gran cero, la nada o cero integral, es decir, el cero integrado por todas las negaciones de cuanto es. Así, posee la mente humana un concepto de totalidad, la suma de cuanto no es, que sirva lógicamente de límite y de frontera a la totalidad de cuanto es» (p. 383).

Pero es importante, antes de continuar con este análisis del papel concedido por Machado a la nada, hacer una aclaración. Si él estuviera refiriéndose tan sólo, como en ocasiones parece, al *no ser,* concebido éste como un artificio especulativo, como algo que se opone simplemente al *ser,* entonces ninguna novedad habría en su pensamiento. La novedad está en reconocer la *nada,* esto es, la experiencia de la *nada,* como fuente de la revelación del *ser.* Pero Machado identifica a veces la nada con el *no ser;* es decir, continúa por un lado refiriéndose al viejo concepto de *no ser,* mas a la vez percibe, probablemente por influjo de Bergson, que hizo, como vamos a ver, una crítica de dicho concepto, la falsedad de éste; y entonces, yendo más allá del propio

Bergson, viendo lo que éste no llegó a ver, y adelantándose a lo que luego diría Heidegger sobre el ser y la nada, transforma, ese *no ser* en *nada*, aunque siga en ocasiones llamándola todavía *no ser*, y aunque incluso, a veces, siga considerando el *no ser* según la clásica concepción de éste: como negación del ser.

Machado tiene, pues, una clara intuición en cuanto al papel ejercido por la nada; pero no separa siempre su hallazgo, lo nuevo, de las ideas tradicionales con respecto al *no ser*. Así, por ejemplo, escribe: «Del *no ser* al *ser* no hay tránsito posible, y la síntesis de ambos conceptos es inaceptable..., porque no responde a realidad alguna» (p. 382). Ahí, siguiendo probablemente a Bergson, decimos, rechaza como falso e inútil ese concepto del *no ser*, entendido como negación del ser. Mas, extrañamente, al parecer, agrega algo que diríase contradice lo anterior, aunque no lo contradice, pues está ahora considerando la nada, y no ya el *no ser*, a pesar de que así la llame: «No obstante, Abel Martín sostiene que, sin incurrir en contradicción, se puede afirmar que es el concepto del no ser la creación específicamente humana; y a él dedica un soneto...» El soneto que sigue a esas líneas es *Al gran cero*, que, como hemos visto, trata del papel revelador, creador, de la nada, más que del concepto negativo del *ser*, más que del *no ser*. Tiene él, pues, razón al asegurar que no se contradice; y es ya bien significativo ese «No obstante...» que indica un cambio de pensamiento. Más claro es que induce a confusión —seguramente porque su pensamiento no era por entonces del todo claro ni aun para él mismo— llamar del mismo modo *no ser*, a cosas que son muy distintas. Y más confusión se crea aun cuando, en el comentario que sigue al poema, se dice que es la nada «el cero integrado por todas las negaciones de cuanto es», pues esto implica una concepción intelectualista de la nada que es algo muy diferente a esa nada experimentada en la angustia, como Heidegger dice, a ese sentimiento de la nada, que revela el *ser*, y que es a lo que en verdad Machado se ha referido en el poema.

Lo mismo que Machado dice en cuanto al ser y la

81

nada, y con mayor, mucha mayor, precisión y claridad, es lo que en 1929 diría Heidegger. Este puntualiza con insistencia que esa *nada* a que él se refiere no es en modo alguno una simple suma de negaciones: «Nosotros afirmamos que la *nada* es más original que el *no* y la negación» (cf. «What is Metaphysics?», en *Existence and Being* [London, 1949], p. 361). Nosotros, siguió diciendo Heidegger, podemos pensar lo que es como una «idea» y luego «negar lo que hemos así imaginado». Pero de este modo «llegamos a un concepto formal de una imaginaria nada y no a la nada misma» (ib., p. 363). Es la angustia lo que nos «revela la nada» (p. 366). Y concluye: «La nada es la fuente de la negación, y no al contrario» (p. 372). Luego veremos aún con más detalle lo que Heidegger dice en cuanto a la revelación del ser en función de esa nada experimentada en la angustia. Pero recordemos, una vez más, que Machado no podía en modo alguno haber leído este ensayo cuando escribió su apéndice.

Lo que Machado había sin duda leído era lo que Bergson dice en *L'Évolution créatrice* sobre el mismo tema. De ahí debió partir Machado, que tan influido está por Bergson en el apéndice, para llegar luego a decir en cuanto a la nada algo que Bergson no dice, y que es lo verdaderamente original e importante. Bergson, como luego Machado, y como Heidegger, rechaza por artificioso e inútil el concepto de *no ser:* «Después de haber evocado la representación de un objeto», y después de haber supuesto a éste existente, «nos limitamos a agregar a nuestra afirmación un *no,* y esto basta para pensarlo inexistente» (cf. *L'Évolution créatrice,* ed. Alcan [París, 1908], p. 310). La crítica de Bergson se halla perfectamente de acuerdo con el carácter antiintelectualista de su filosofía, y es, en todo caso, admisible. Pero Bergson, después de rechazar la *nada,* entendida como *no ser,* la nada concebida como una abstracción, no advierte que hay una *nada* que no es sólo pensada, sino vivida, experimentada. Lo que a él le interesa hacer notar es sólo que así como siendo la realidad, según él, un «perpetuo devenir», cometemos el error de querer pensar lo móvil con lo inmóvil, así hay una segunda «ilusión» —de la cual él se ocupa en el capítulo IV, y final, de su obra— que consiste en servirse «del vacío para pensar lo lleno». Empieza diciendo: «Los filósofos no se han ocupado hasta ahora de la nada. Y, sin embargo, ésta es a menudo el resorte escondido, el invisible motor del pensamiento filosófico» (ib., p. 298).

Machado debió dar a estas palabras más importancia de la que realmente tienen en Bergson, que en último término piensa esa *nada* tan sólo como una «pseudoidea». Las palabras de Bergson tienen a veces una gran semejanza con las de Machado: La existencia, nos dice, aparece como «una conquista sobre la nada. Yo me digo que podría, que debería incluso no haber nada, y me asombro entonces de que haya algo. O bien me represento toda la realidad como extendida sobre la nada, como si fuera sobre un tapiz... En fin, que no puedo desprenderme de la idea de que lo lleno es como un bordado sobre el lienzo del vacío, que el ser se sobrepone a la nada» (p. 399). Mas no se olvide que esto no es para Bergson sino una ilusión que necesita ser explicada, un error de enfoque que él trata de corregir. A Machado, sin embargo, debió impresionarle todo eso y no parecerle, en cambio, tan convincente la refutación; o, más bien, Machado debió ver que la nada seguía estando ahí, para él, a pesar de la refutación. Que Machado en todo caso recuerda, más o menos conscientemente, estas páginas de Bergson al escribir en la primera parte del apéndice sobre la nada, me parece muy probable, ya que incluso encontramos en Bergson la imagen del «círculo trazado con tiza sobre una pizarra», *cercle tracé à la craie sur un tableau* (p. 300). Bergson, establecido el problema, agrega: «Si pudiéramos probar que la idea de la nada, *en el sentido que la tomamos cuando la oponemos a la de existencia,* no es sino una pseudoidea, entonces los problemas que ella despierta se convertirían igualmente en pseudoproblemas» (página 301). Y pasa a probarlo, y lo prueba: la idea de la nada, entendida como *no ser,* como suma de todas las negaciones del ser, es un falso concepto que deberíamos abandonar, un simple artificio especulativo. Pero todo ello nada dice en cuanto a la nada experimentada como posibilidad de la aniquilación del ser, de nuestro ser. Y en este sentido, que Bergson no tiene en cuenta, esa nada que no puede ser refutada, que no puede mostrarse sea una pseudoidea, porque tampoco es una idea, sigue viva y despertando problemas; el problema de la muerte, por ejemplo, y la pregunta por el *ser* de las cosas, la pregunta que da origen a la metafísica y a la poesía.

La idea de un objeto como «no-existente» es en verdad la idea del objeto «existente» al que se agrega «la representación de una exclusión de ese objeto» (página 310), dice Bergson. Esto le permite afirmar que «la idea de la abolición no es una pura idea... Suprimid todo interés, toda afección: no queda entonces sino la realidad que fluye...» (p. 31). Y por eso, muy de acuerdo con toda su filosofía, termina diciendo que es preciso «habituarse a pensar el Ser directamente, sin hacer un rodeo, sin empezar por dirigirse al fantasma de la nada que se interpone entre él y nosotros» (p. 323). Esto es lo que Bergson dice, que mucho debió servir a Machado. Pero él debió pensar, piensa desde luego, efectivamente, sobre todo más adelante, en la segunda parte del apéndice, que si «la abolición» no es una pura idea no es una pura realidad. En suma, Machado, como Heidegger, adopta una posición existencial, y en ningún modo trata de suprimir «todo interés, toda afección», sino que es precisamente en su interés y su afección donde pone el acento: en su corazón. La concepción del Ser que Bergson propone, pese a todo su antiintelectualismo, no deja de ser una abstracción más, una hipótesis. Muchos años después, Bergson escribía aún: «Nous avons montré jadis qu'une partie de la métaphysique gravite, consciemment ou non, autour de la question de savoir pourquoi quelque chose existe: pourquoi la matière, ou pourquoi des esprits, ou pourquoi Dieu, plutôt que rien? Mais cette question présuppose que la réalité remplit un vide, que sous l'être il y a le néant, qu'en droit il n'y aurait rien, qu'il faut alors expliquer pourquoi, en fait, il y a quelque chose. Et cette présupposition est illusion pure, car l'idée de néant absolu a tout juste autant de signification que celle d'un carré rond» (*Les deux sources de la morale et de la religion,* ed. A. Skira [Genève, 1945], p. 240). Mas sea o no ilusión el presuponer que la realidad llena un vacío, el caso es que el hombre seguirá eternamente asombrándose ante lo que es, ante lo que aparece, y desaparece; preguntándose por el ser, e implicando en esta pregunta a la nada, aunque el concepto de *nada* resulte ser una «pseudoidea».

Lo que origina toda clase de confusiones, repetimos, es el hecho de que, alejándose como se aleja, esencialmente, de la posición que Bergson adopta, siga sin embargo Machado muy apegado al modo de pensar de éste, o así parezca. Cuando en el apéndice se refiere a un «nuevo pensar», a un «pensar poético», que sería «pensar cualificador», no cabe duda que en Bergson piensa. Y agrega Machado: «Este pensar se da entre realidades, no entre sombras; entre intuiciones, no entre conceptos. 'El *no* ser es ya pensado como *no ser* y arrojado por ende, a la espuerta de la basura'. Quiere decir Martín que una vez que han sido convictas de oquedad las formas de lo objetivo, no sirven ya para pensar lo que es» (p. 381). Todo esto no parece sino un eco de lo que Bergson decía de que hay que pensar el Ser directamente. Pero a continuación es cuando Machado escribe ese «No obstante...», reconociendo la importancia de la nada, y luego incluye el poema *Al gran cero* en el que no se alude ya tan sólo a un pensar lógico del ser, sino también a una revelación de la pregunta por el *ser,* gracias a la nada. El nos dice en el comentario que sigue al poema que es el «cero», esto es, el huevo desustanciado y frío, el no-ser, lo que hace brotar el «pensar humano», y nos advierte que este pensar es «pensar homogeneizador—, no el poético, que es ya pensamiento divino» (p. 384), esto es, que es pensamiento lógico y no intuitivo; pero ya vimos que en el mismo poema ese mismo «cero» —que ahora es la nada— es lo que nos hace percibir con asombro el ser, cantar un canto «de frontera / a la muerte, al silencio y al olvido».

Se refiere, pues, Machado, en la primera parte del apéndice, a tres modos diferentes de «pensar lo que es». Uno el lógico, que se apoya en el no-ser, y que él rechaza, como Bergson, considerándolo un pensar «entre sombras»; un segundo modo que él imagina, por influencia de Bergson, del cual luego ya no vuelve a ocuparse en la segunda parte, y que supone una captación inmediata, intuitiva del ser, una «lógica temporal»; y un tercer modo que más que un pensar es un asombrarse ante el ser, sintiendo la nada, de donde nace la poesía. Este tercer modo es el que más nos importa, y del que aún nos ocupamos.

En *Juan de Mairena* se advierte todavía, a veces, como un recuerdo de la crítica bergsoniana al concepto del *no ser,* como cuando Machado escribe que siempre que «interviene el no ser va implícita la contradicción», y así «el llamado principio de contradicción... lleva implícita una esencialísima contradicción». Esto porque él supone pensar que *una cosa es* y luego que la *misma cosa no es;* mas no es posible pensar una cosa sin pensar que «sea algo», como «dice la lógica en su famoso principio», y esto mismo ocurre «cuando pensamos que *una cosa no es*» (pp. 604-605). Y entonces agrega, alejándose ya de Bergson: «Este era uno de los caminos... el de la reducción al absurdo de la pura lógica, por donde mi maestro llegaba al gran asombro de la nada, tan esencial en su poética». Lo cual parece indicar que, como dijimos, partiendo de la crítica de Bergson al concepto del *no ser,* llegó él al «asombro de la nada» esencial en su poética, como en su metafísica existencialista. En la página anterior, aludiendo probablemente a Heidegger, al que debía estar leyendo por entonces, 1935, dice que la nada es «motivo de angustia» y que ella plantea problemas no sólo al intelecto sino también «al corazón». Heidegger le debió ayudar a ver más claro lo que él, por sí mismo, ya había intuido antes, en el apéndice; y no es raro lo intuyera porque, después de todo,

86

una viva experiencia de la nada la tuvo él en su juventud, al menos, ya que de ella brotaron sus poemas de *Soledades*. El mismo Machado advertirá esto luego, al comentar a Heidegger, como veremos. Pero volvamos ahora al apéndice.

Como en él emplea indiferentemente las palabras *no ser* y *nada,* suele ser difícil precisar cuándo está refiriéndose a la idea tradicional de la negación del ser y cuándo está refiriéndose a esa nada por él presentida que es base de la revelación del *ser,* de la pregunta por el *ser*. Dice, por ejemplo, que las ideas platónicas, que ya vimos él las consideraba, siguiendo en su antiintelectualismo a Bergson, como «copias descoloridas de las esencias reales que integran el ser», son como un «dibujo o contorno trazado sobre la negra pizarra del no ser» (p. 374). Y aquí, dado que al parecer él piensa que esas «ideas» son pura abstracción intelectual, podríamos creer que esa «pizarra del no ser» a que se refiere la considera tan sólo un artificio desdeñable. Mas en la misma página dice que es nuestro desesperado anhelo, el «conato del ser por superar su propia limitación, quien las proyecta sobre la *nada* o *cero absoluto*». Y ahí no sólo nombra ya a la *nada,* sino que bien se percibe que esa *nada* no es un simple y frío concepto, sino algo que toca nuestro corazón, algo que nos angustia, determinando ese «conato», esa ansia de eternidad que nos hace proyectar las «ideas» sobre la nada; es decir, que nos hace inventar ese inmutable «ser», las ideas, elevándolo sobre un fondo de nada.

Vamos a ver que la «metafísica» esbozada, aunque sea confusamente, al final de la primera parte del apéndice, es la misma de la que con alguna mayor claridad trata en la segunda parte; pero antes fijémonos en el significado del poema *Al gran pleno o conciencia integral* (pp. 384-385), que sigue al dedicado *Al gran cero,* haciendo juego con él, y con el que se termina la primera parte.

En ese poema *Al gran pleno,* el universo, «cuanto es», aparece cantando «en pleno día». El poema todo es una extraña fantasía. Es el mundo visto —imaginado— desde un punto de mira que no es el propio del hombre. No es el mundo tal como realmente se ve, desde la conciencia angustiada ante el pasar de las cosas y ante su propio e irremediable caminar hacia la muerte; no es el mundo mirado, como en verdad se mira, desde la frontera de la nada, de la noche, como el propio Machado dice en el poema *Al gran cero;* sino *como se vería* desde fuera de uno mismo, impersonalmente, intemporalmente; esto es, *como lo vería Dios:* a plena luz. El poema es una visión cósmica, panteísta, del mundo concebido como «gran pleno o conciencia integral», como un todo, serie de apariciones y desapariciones a través de las cuales la unidad permanece. Esas desapariciones, importantísimas desde el punto de vista de la conciencia individual, son insignificantes desde el punto de vista de la «conciencia integral» que es la que, no sin cierta sorna, aquí se considera. El poema comienza así:

> Que en su estatua el alto Cero
> —mármol frío,
> ceño austero
> y una mano en la mejilla—,
> del gran remanso del río,
> medite, eterno, en la orilla,
> y haya gloria eternamente.

A menudo Machado identifica lo creado con el Creador, al modo panteísta, como cuando dice, repetidas veces, que el mundo no es la creación divina, sino «sólo un aspecto» de la divinidad. Y si Dios es todo, es como si Dios no fuera nada. Ya sabemos, por otra parte, que él de ningún modo creía en la existencia de ese Dios creador, causa primera. En este mismo poema claramente identifica a Dios con la nada al llamarle «el alto Cero». Mas por el asunto de este poema, que supone una visión desde fuera del mundo, necesita él imaginar a Dios, siquiera provisionalmente; un Dios que permanece a la orilla del «río», contemplando el pasar; un Dios que no hace nada, que se limita a decir que «sea» lo que ya es, «cuanto es». Y así sigue el poema:

> Y la lógica divina
> que imagina,
> pero nunca imagen miente
> —no hay espejo; todo es fuente—,
> diga: sea
> cuanto es, y que se vea
> cuanto ve. Quieto y activo.

El mundo, dicen los teólogos, es imagen de Dios, medio indirecto de conocer —a través del reflejo— su grandeza: a través del mundo conocemos a Dios como *en espejo.* Pero desde el punto de vista divino, en que Machado se sitúa en ese poema, claro es que «no hay espejo; todo es fuente», pues Dios desde «su estatua» contemplaría la obra continua de la creación, la obra de la naturaleza, la «fuente». Pero en quien Machado aquí probablemente piensa, más que en los teólogos, es en Leibnitz. Sabemos que para éste, extrayendo la mónada, cada una de las conciencias individuales, todas las percepciones del fondo de sí mismas, pero al mismo tiempo teniendo que coincidir estas percepciones con el mundo exterior, las almas son concebidas como «espejos». Y sabemos que Martín se oponía a esa concepción de las almas «a la manera de los espejos», como se lee en el apéndice (p. 355). Ahora bien, siendo su punto de vista, en el poema, el de la conciencia integral y no individual, visto el mundo desde fuera y no desde dentro del alma, no hay ya ni que hablar de los «espejos» de Leibnitz, pues todo es fuente, creación. Un eco bergsoniano de *La evolución creadora,* se podrá percibir, además, en esa concepción del mundo como vital fluir. Y sigue el poema, acentuando los tonos panteístas:

> —mar y pez y anzuelo vivo,
> todo el mar en cada gota,
> todo pez en cada huevo,
> todo nuevo—,
> lance unánime su nota.
> Todo cambia y todo queda,
> piensa todo,
> y es a modo,
> cuando corre, de moneda,
> un sueño de mano en mano.

Tiene amor rosa y ortiga,
y la amapola y la espiga
le brotan del mismo grano.
Armonía;
todo canta en pleno día.
Borra las formas del cero,
torna a ver,
brotando de su venero,
las vivas aguas del ser.

Las cosas del mundo, al ser pensadas por el hombre, lógicamente, con la ayuda del *no-ser,* del cero, no son sino como figuras salidas de ese molde del cero, de esas «formas del cero», lo que llena ese hueco del cero. Mas desde el punto de vista de Dios, con la «lógica divina», ya no necesitamos ese molde, ni hay que pensar las cosas lógicamente, como lo opuesto al no ser: el ser es percibido directamente. Por eso invitándonos —por influjo de Bergson— a percibir el ser de un modo inmediato, poético, intuitivo y no lógico, dice: «Borra las formas del cero / torna a ver... las vivas aguas del ser.»

El poema tiene, pues, raíces bergsonianas, antiintelectualistas. Pero es al mismo tiempo, y en oposición al poema *Al gran cero,* una visión del mundo desde fuera, fuera de la lógica tanto como fuera de la conciencia angustiada que descubre la nada. Por eso es sobre todo una fantasía, una broma. Porque si tal vez es posible una visión directa, intuitiva del ser, al modo bergsoniano, al modo divino; es decir, si podríamos eliminar el *no-ser* en nuestra visión del mundo, nunca podremos eliminar la nada. Nosotros nos enfrentamos siempre al mundo desde nuestra temporalidad, desde nuestra propia conciencia solitaria y angustiada. Tal es al menos el punto de vista existencialista, heideggeriano, que más que una teoría sobre lo que el mundo sea, es, creo yo, un intento de describir la situación real del hombre en el mundo, ante el mundo; lo que el hombre realmente es cuando se libera de las máscaras con que a menudo encubre su verdadera situación. Y algo muy parecido, un darse cuenta de nuestra angustiosa situación, un adquirir conciencia, es lo que Machado pretende con su «metafísica de poeta», o con esa poesía «temporal» de que habla en la segunda parte del apéndice.

En dicha segunda parte, la pequeña sección que se titula *La metafísica de Juan de Mairena* (pp. 401-403) no es sino un comentario filosófico al contenido de la sección que precede, la que trata de *El 'arte poética' de Juan de Mairena* (pp. 388-400), donde se habla de la temporalidad en la poesía, como luego vamos a ver. En cuanto a la «metafísica» de Mairena, es la misma que la «metafísica» de Abel Martín, de la primera parte, en lo que ésta tiene que ver con la nada, y de la cual nos hemos ocupado. Machado ya dice que «su punto de partida», el de Mairena, «está en un pensamiento de su maestro Abel Martín» (p. 401). Y a continuación comienza a hacer un breve resumen de esa metafísica mairenesca: «Dios no es el creador del mundo... No hay problema genético de lo que es... Cuanto es aparece; cuanto aparece, es... No hay, pues, problema del ser, de lo que aparece. Sólo lo que no es, lo que no aparece, puede constituir problema... el *no ser*... a que Martín alude en su soneto inmortal *Al gran cero,* la palabra divina que al poeta asombra y cuya significación debe explicar el filósofo» (pp. 401-402). El poeta, pues, se limita a asombrarse, y no se plantea el problema de la realidad del mundo externo, ya que acepta las apariencias como realidades. El problema para él está en que eso que percibe lo siente como milagrosamente sostenido sobre un fondo de nada. Por eso se agrega a continuación: «¿Cómo, si no hay problema de lo que es, puesto que lo aparente y lo real son una y la misma cosa... puede haber una metafísica? A esta objeción respondía Mairena: 'Precisamente la desproblematización del ser, que postula la absoluta realidad de lo aparente, pone *ipso facto* sobre el tapete el problema del *no ser,* y éste es el tema de toda futura metafísica'... Esta metafísica... de la pura nada... no pretende definir el ser (no es, pues, ontología), sino a su contrario» (páginas 402-403).

Dejando aparte el hecho de que, otra vez, se confunda o parezca confundirse, el *no ser,* entendido como lo contrario del ser, con la «pura nada», bien se ve que es en verdad de esta última de lo que se trata, y que ella es la que, cuando se contempla el mundo ingenuamente, sin problema, «pone *ipso facto* sobre el tapete el problema», el problema de la aniquilación del ser, de lo que aparece. Es la pura nada quien causa el asombro del poeta, y de ese asombro nace la poesía.

Vimos que en la parte primera del apéndice se hablaba de dos medios diferentes, aunque seguramente relacionados entre sí, de adquirir conciencia del propio ser, intimidad. Uno era en «camino de vuelta», al descubrir, tras el «fracaso del amor», esa heterogeneidad trágica, sin objeto, de nuestro ser. Otro era por medio de la «poesía». Poesía que —se insinuaba ya en el poema *Al gran cero*— brota a causa del sentimiento de la nada. Los dos medios vienen a ser el mismo, decíamos, pues al descubrir esa heterogeneidad u otredad inmanente se descubre la nada. Pero el hecho es que si en la primera parte el acento se pone —salvo al final— en lo de la heterogeneidad, en la segunda de lo que se trata especialmente, como vemos, al ocuparse de la metafísica de Mairena, es de la poesía, esto es, de esa «metafísica... de la pura nada», esa nada que plantea el problema del *ser* y despierta la poesía. Y a esa misma metafísica mairenesca, de la pura nada, es a la que él seguiría refiriéndose años más tarde.

Todo poeta, dice también en la segunda parte, «supone una metafísica... el poeta tiene el deber de exponerla, por separado, en conceptos claros» (p. 401). Y esto es lo que Machado, que era sobre todo un poeta, trató de hacer, aunque no lograse hacerlo en términos del todo claros: exponer su metafísica, fundada en sus experiencias de poeta. En sus últimos años, Machado, el filósofo, no haría sino meditar sobre las experiencias del joven poeta de *Soledades*.

Si su exposición no resulta clara es, creo yo, entre otras cosas, porque le cohibía la grandiosidad de esa empresa de cambiar, con su «metafísica de poeta», con su filosofía existencial, el rumbo de la metafísica clásica.

Lo que él al escribir el apéndice, incluso la segunda parte, sin duda no sabía, es que por la misma época, en 1927, con *Sein und Zeit*, recogiendo hilos del pasado, partiendo sobre todo de Kierkegaard y apoyándose en el método riguroso de Husserl, Heidegger iba a intentar con toda seriedad esa empresa. De haberlo sabido, como Machado dijo años más tarde, hacia 1935, cuando lo leyó, Mairena «hubiera tomado más en serio las fantasías poético-metafísicas de su maestro Abel Martín» (p. 600). El se dio en seguida cuenta que la metafísica de Heidegger era en esencia, como la suya, metafísica de poetas para poetas. El mismo dice en 1937, en el artículo dedicado a exponer *Sein und Zeit*, que el hacer básica «la existencia del hombre» para abordar los problemas metafísicos, es algo con una «nota profundamente lírica, que llevará a los poetas a la filosofía de Heidegger, como las mariposas a la luz» (p. 795).

Finalmente, aún en la segunda parte del apéndice, para terminar esa brevísima exposición de la metafísica de Mairena, dice Machado que «*Los siete reversos* es el tratado filosófico en que Mairena pretende enseñarnos los siete caminos por donde el hombre puede llegar a comprender la obra divina: la pura nada» (página 403). Lo que con esto se dice, de modo más inmediato, es tal vez, simplemente, que por muchos caminos llegamos siempre a descubrir la misma desolada situación del hombre, la falta de Dios, la nada. Pero debe también tenerse en cuenta que en la primera parte se especifica que esos «reversos» no son sino «formas de objetividad», es decir, proyecciones de nuestro «anhelo erótico», apariencias en suma (p. 378). Y así resultaría que lo que dice en la segunda parte es que esas apariencias o «reversos» son los caminos que nos llevan a descubrir la nada; o sea que es en el mundo, ante las cosas, cuando descubrimos que ellas carecen de fundamento.

En la primera parte, nos dice que es «en camino de vuelta» cuando se adquiere «plena y fecunda intimidad», esto es, cuando «se reintegran a la pura unidad heterogénea», o sea a la conciencia, «las citadas formas o *reversos del ser*» (p. 378); es decir, cuando reconocemos que es dentro de nosotros donde se encuentra lo que buscábamos fuera; pero nadie, agrega, «logrará ser el *que es, si antes no logra pensarse como no es*», nadie logrará ser él mismo sino gracias a ese impulso hacia lo otro, lo que él no es, aunque eso otro no exista. Todo esto no es sino parte de esa metafísica de Martín en tanto que ésta trata de la «heterogeneidad del ser». Pero entonces resulta que si gracias a esos «reversos», al descubrirlos como inmanentes, es cuando adquirimos conciencia de nosotros mismos, cuando descubrimos la trágica heterogeneidad, y es entonces cuando (como antes decíamos y Machado parece insinuar) se descubre la nada, esto se halla aparentemente en oposición con lo que se dice en la segunda parte, ya que una vez es «en camino de vuelta», al volver hacia nosotros cuando, en suma, se descubre la nada, y otra es no al volver, sino en esas mismas apariencias, al vivir entre ellas, cuando descubrimos la nada. Para uno la nada se revela al descubrirse el carácter inmanente de lo otro todo, y para el poeta, que acepta las apariencias como realidades, la nada se revela en esas mismas apariencias. La contradicción, más aparente que real desde luego, proviene de que a lo largo del apéndice el pensamiento de Machado va evolucionando, y pasa de esa metafísica de la heterogeneidad del ser, llena aún de ecos bergsonianos, a la más clara y definitiva metafísica de la pura nada, metafísica poética, existencial.

Lo importante es que en la segunda parte, como al final de la primera, la nada «asombra» al poeta, y éste se plantea, aunque no explícitamente, el problema del *ser,* no racional sino existencialmente, desde el fondo de su corazón. No le preocupa al poeta la esencia de lo que aparece, de lo que él ama, sino su existencia y su futura desaparición. El *ser,* en suma, revelado a la conciencia por la nada, no es el ser inmutable, sino el ser inmerso en la corriente del tiempo y considerado desde nuestro ser, inmerso en el tiempo también. Y esto nos lleva a plantearnos con algún mayor detenimiento la relación de Machado con Heidegger, a la que ya hemos repetidamente aludido; la relación con *El ser y el tiempo,* y con *¿Qué es metafísica?,* donde se habla del ser y de la nada.

9. Relaciones entre el pensamiento de Machado y el de Heidegger

En su «analítica existenciaria», en *Sein und Zeit*, Heidegger hace una investigación del *Dasein,* de la existencia, tal como ésta se descubre a sí misma en la angustia, y ello como un paso previo a la investigación del problema del *ser,* a la metafísica, entendida como ontología. Machado pudo conocer esta obra, aunque ello sea muy poco probable, antes de escribir la *segunda parte* del apéndice, ya que ésta apareció en 1928 y la obra de Heidegger es de 1927. Pero en ella apenas trata Heidegger del problema del *ser* y tampoco se habla en ella mucho de la nada, sino, más bien, del ser del *Dasein.* Su analítica existenciaria, dice sin embargo Heidegger al terminar su obra, tenía por objeto «encontrar una posibilidad de responder a la pregunta que interroga por el sentido del ser en general». Y antes, al comenzar su estudio, había advertido, con una de sus abstrusas fórmulas, que el libro no tendía sino a descubrir «el tiempo como horizonte de la comprensión del ser, partiendo de la temporalidad como ser del *Dasein* que comprende el ser». Lo cual, si mal no entiendo, quiere decir que siendo el *Dasein* —el hombre que se angustia, sintiéndose perdido en el mundo, no el hombre en sus momentos banales— quien «comprende el ser», quien pregunta por el *ser;* y siendo, en último término, como él trata de mostrar, la «temporalidad» la íntima estructura de ese *Dasein*, es decir, siendo la temporalidad el ser del *Dasein,* resulta así que es el tiempo —aunque no sea el tiempo entendido de un modo «vulgar»— «aquello desde lo cual el *Dasein...* comprende... lo que se dice *ser*»; o sea que es el tiempo «el horizonte de la comprensión del ser»[12]. En dicho libro, que es sólo parte de una obra mayor, nunca terminada, de una metafísica aun no publicada, no se aborda directamente, repetimos, el problema del *ser* en general, sino lo que se hace sobre todo es investigar el ser del hombre, el ser de ese *Dasein*. A. de Waelhens muy oportunamente comenta, al comenzar su estudio sobre Heidegger[13]: «Le but ultime et principal est l'édification d'une métaphysique générale que l'analytique existentiale a pour mission d'introduire. Telles sont les intentions de Heidegger. C'est une autre question de savoir si, en fait, cette analytique, de simple introduction qu'elle devait être, n'a pas fini par absorber la majeure partie ou la totalité de l'attention de son auteur. Et c'est une autre question encore de décider si les résultats acquis par cette analytique existentiale ne sont pas de nature à interdire définitivement toute thèse touchant l'être en général, rendant impossible toute métaphysique au sens usuel de ce mot»... (p. 9). La causa por la que pone en duda o, más bien, en verdad niega Waelhens la posibilidad de una metafísica en Heidegger, queda indicada cuando más adelante, en el capítulo «Heidegger et la méthaphysique», el mismo autor escribe: «Si, selon la conception unanimement acceptée, l'ontologie est faite d'énonciations dont l'homme ne saurait être la mesure, alors nous pensons qu'il n'y a et ne peut y avoir chez Heidegger rien qui ressemble à une métaphysique» (p. 318).

En *¿Qué es metafísica?,* de 1929, en cambio, sí que se plantea Heidegger el problema de la pregunta por el *ser.* Si antes, en *El ser y el tiempo* partía del hombre concreto y de sus angustias para llegar a plantear el problema del *ser,* ahora, invirtiendo en cierto modo los términos, empieza por plantear ante todo el problema del *ser,* pero lo hace ligando inmediatamente ese problema con los específicos problemas del hombre que se plantea esa pregunta, esto es, con el sentimiento que de la nada tiene el hombre. Relaciona, pues, Heidegger en ese ensayo, y muy explícitamente, el *ser* con la *nada,* de un modo análogo a como Machado lo había hecho ya en el apéndice, en 1926 y 1928.

Ese concebir la nada como fondo necesario para la revelación del ser, de que se habla en *¿Qué es metafísica?,* y el concebir el tiempo como «genuino horizonte de toda comprensión y toda interpretación del ser», a que se alude en *El ser y el tiempo,* no son en verdad, según me parece, sino dos aspectos de una misma concepción. De otro modo podría uno preguntarse: ¿En qué quedamos? La base para la comprensión del *ser,* ¿es el tiempo o es la nada? Pero la respuesta creo que es: el tiempo y la nada, que no son sino dos aspectos de lo mismo. No se habla en verdad mucho de la nada en *El ser y el tiempo,* ni mucho del tiempo en *¿Qué es metafísica?* Pero, ¿nos preocuparíamos acaso de la nada si no fuera por el tiempo? Y, al contrario, ¿nos preocuparíamos del tiempo si no fuera por el temor a la nada? La angustia de que habla Heidegger en su obra fundamental —angustia de «ser en el mundo», angustia pura, por nada— en que descubrimos nuestra «posibilidad de ser», ese vital impulso hacia el futuro que no acaba sino en la muerte, ¿qué es sino angustia por el tiempo? Esa angustia que, según se dice en la obra primera, es la que nos revela nuestro propio ser, es la misma que, según se dice en el ensayo, nos revela la nada, agregando que esa nada es la que despierta en nosotros la pregunta por el ser. Hay, pues, una estrecha relación entre *El ser...* y *¿Qué es met.?,* aunque dicha relación no haya sido destacada lo bastante. A una cierta relación entre ambas obras se refiere, sin embargo, A. de Waelhens: «Il n'y a donc aucune contradiction entre *Sein und Zeit* qui attribue à l'angoisse la découverte de la mondanité pure... et *Was ist Methaphysik,* où cette

98

même angoisse nous révèle l'existant brut dans son néant d'intellibigblité. Il s'agit de deux expériences opposées mais rigoureusement complémentaires et indissolublement liées» (op. cit., p. 260).

El objeto de destacar la posible relación entre esas dos obras, aunque ésta no se perciba siempre a primera vista, y no sea algo de lo que mucho se haya hablado, es para mostrar que si lo que el filósofo alemán dice en su ensayo en cuanto al ser y la nada estaba ya en cierto modo implícito, apuntado, en su obra anterior, de 1927, ello estaba sólo apuntado; y que, por tanto, difícilmente, cuando aun ahora no se ve con claridad, podría haberlo visto Machado entre 1927 y 1928, si es que leyó *Sein und Zeit* apenas se publicó en alemán esa obra. Ya veremos que hay motivos para suponer que Machado no empezó a leer a Heidegger sino hasta 1934 o 1935; pero aunque hubiera leído *Sein...* en 1927, poco podría haber usado de esa obra para la *segunda parte* del apéndice. Y siempre quedaría la primera, donde él habla también, como hemos dicho, al tratar del poema *Al gran cero,* del ser y de la nada. Explícitamente, no trata Heidegger del ser y la nada sino hasta 1929, en el ensayo que Machado no pudo leer al escribir su apéndice. La precedencia de Machado con respecto a Heidegger, al menos en lo que respecta a ese punto del ser y la nada, me parece, pues, indiscutible. Y en cuanto a otros parecidos, que son también parecidos con otros existencialistas, como el simple hecho de poner el acento en la existencia, y no en la esencia; el sentimiento de la nada o la angustia y, a la vez, la «trascendencia» del ser, cierta trascendencia; todo ello que vemos en Machado como en Heidegger —con diferencias, cierto es, muy grandes también, sobre todo de método— no indica tampoco ni mucho menos la dependencia de Machado con respecto a Heidegger, ya que de ello se habla en la primera parte, en 1926, antes de haberse siquiera publicado *Sein...* Y no me parece innecesario insistir en esta precedencia de nuestro poeta, ya que, por un lado, en lo que se refiere a la relación entre el ser y la nada el parecido es grande, como vamos a ver inmediatamente; y por otra parte, aunque este parecido mayor no haya sido percibido por los críticos que han aludido a la relación entre ambos, casi todos coinciden en insinuar que el pensamiento de Machado fue influido por el de Heidegger. Lo que sí me parece un hecho es que *después de 1934,* después de haber leído a Heidegger, Machado perfila y retoca su pensamiento, ajustándolo al de él y clarificándolo un poco; aunque, por desgracia, sólo se refiera a su metafísica en algunos pocos fragmentos de *Juan de Mairena.*

Ya dijimos que en 1926, comentando el poema *Al gran cero,* Machado escribió que el pensamiento «necesita de la nada para pensar lo que es» (p. 384). Y aunque pudiera caber duda, como casi siempre, si al decir «nada» quiere decir *no ser,* en el sentido de negación u oposición al ser, no debe ser así por el hecho de que se trate de un comentario al poema en que se refiere en verdad a la nada, que hace cantar al poeta. Pues bien, casi con las mismas palabras escribiría Heidegger en 1929: «Es la nada lo que hace posible para nuestra humana existencia la revelación de lo que es en cuanto tal. La nada no es sólo un concepto en oposición a lo que es, sino algo original, esencial.» Y el sentido de estas líneas resulta completamente claro por lo que en el mismo ensayo se dice anterior y posteriormente.

La nada, pues, viene a decir Heidegger, es la que, presentida, nos hace mirar con extrañeza y preguntar por el ser. Porque sentimos la nada en el fondo de nosotros es por lo que nace la extrañeza, y de ésta el asombro: «Sólo por ese asombro, es decir, por la revelación de la nada, brota el *¿por qué?* en nuestros labios.» Y este *¿por qué?* es lo que nos hace buscar «razones y pruebas», y el que nos lleva a convertirnos nosotros mismos, los que preguntamos, en problema. Y así nace la metafísica, la inquietud metafísica, que no es de ningún modo un problema llevado al hombre desde fuera de él, sino algo en que «mientras existimos, estamos»; algo que vive en nosotros, aunque a veces lo ignoremos. No necesitamos sino libertarnos de «ídolos», sigue diciendo Heidegger, dejar que en nosotros libremente se revele la nada, para que de nuevo brote la cuestión fundamental de la metafísica, cuyo origen está en la nada misma: «¿Por qué el Ser y no la Nada?» Así termina el ensayo. La posición de Sartre en relación con el mismo problema del ser y la nada, aunque inspirada seguramente en la de Heidegger, es diferente y hasta opuesta a la de éste. Como explica R. Jolivet en *Les doctrines existentialistes* (pp. 169-171): «Contrairement à ce que pense Heidegger, pour qui l'être surgit 'sur fond de néant', le néant ne peut surgir, pour Sartre, que 'sur fond d'être'.» Para Sartre es el hombre «l'être par qui le Néant vient au monde», ya que «l'être est antérieur au néant et le fonde... l'être n'a nul besoin du néant pour se concevoir». Pero en cambio la nada «ne saurait avoir qu'une existence empruntée: c'est de l'être qu'il prend son être» (*L'Etre et le Néant*, pp. 60, 52). Y algo muy parecido se lee en *La nausée* (París, 1947), p. 175.

No muy diferente a lo que Heidegger escribe en *¿Qué es metafísica?* en cuanto al origen de la pregunta por el ser, es lo que poco antes escribía Scheler en el capítulo final de *El puesto del hombre en el cosmos*, de 1928: «Cuando el hombre se ha colocado *fuera* de la naturaleza y ha hecho de ella su 'objeto...' se vuelve en torno suyo *estremeciéndose*... En esta vuelta en torno suyo el hombre hunde su vista en la *nada*, por decirlo así. Descubre en esta mirada la *posibilidad* de la 'nada absoluta'; y esto le *impulsa* a seguir preguntando: ¿Por qué hay un mundo? ¿Por qué y cómo existo *yo*? ¿Por qué existen en vez de 'no existir'?» Después de este «descubrimiento», una «doble conducta», dice Scheler, era posible: el hombre «podía *admirarse*», y éste «es el origen de la metafísica»; o podía seguir un «impulso de salvación», buscando protegerse, y así nace «lo que llamamos religión». Scheler no acepta «esa relación semi-infantil y semi-temerosa del hombre con la Divinidad». Y hasta ahí no parece muy lejos de Heidegger. Pero él no rechaza toda posición religiosa, lo que propugna es sustituir ese infantil temor por el «*acto* elemental del hombre que *personalmente* hace suya la causa de la Divinidad y se *identifica* en todos los sentidos con la *dirección* de sus actos espirituales». Mas «la última 'realidad' del ser existente por sí *no es susceptible de objetivación*». Para Scheler «la conciencia del mundo, la conciencia de sí mismo y la conciencia de Dios forman una indestructible unidad estructural»; mas la «*esfera de un ser absoluto* pertenece a la *esencia* del hombre» (cf. *El puesto...*, pp. 156-157).

Como ya indicamos anteriormente, la religión de Scheler en esta obra, al menos por lo que tiene de inmanentista, no es muy diferente de la de Machado, en otras ocasiones. Pero en lo que se refiere al problema del ser y la nada, a quien Machado más se parece es a Heidegger, pues, como él, excluye la conciencia de Dios al tratar de ese problema. Scheler se adelanta en cierto modo a Heidegger —dejando aparte el hecho de que ponga el acento en lo religioso—, ya que, al parecer, pronunció esa conferencia en 1927, aunque no trate el problema del ser y la nada tan detallada y originalmente como él, y ni siquiera como Machado. En todo caso, lo cierto es que Machado se adelanta a ambos. *El puesto...*, de 1928, se tradujo por primera vez al español, por la *Revista de Occidente,* en 1929.

El interés y la originalidad, al menos relativa, de estos pensamientos de Machado y de Heidegger, quizá no se adviertan sino teniendo en cuenta la historia «de la pregunta que interroga por el ser», historia a que alude el mismo Heidegger al comenzar su obra. «La mencionada pregunta está hoy caída en olvido... Tuvo en vilo el meditar de Platón y de Aristóteles, cierto que para enmudecer desde entoces *como pregunta expresa de una investigación efectiva.* Lo que ganaron ambos se conservó a través de variadas modificaciones y 'retoques' hasta la misma 'lógica' de Hegel. Y lo que en otro tiempo se arrancó a los fenómenos en el supremo esfuerzo del pensamiento, aunque fragmentariamente y en primeras arremetidas, está hace mucho trivializado» (*El ser y el tiempo,* p. 3). Después de lo cual pasa a mostrar los «prejuicios» que han oscurecido a través de los siglos esa pregunta. Es necesario, dice más adelante, «ablandar la tradición», destruir el «contenido tradicional de la ontología antigua» en busca de «las experiencias originales», y eso es lo que se propone hacer en su obra, la cual tiene «por meta llevar a cabo un desarrollo fundamental de la pregunta que interroga por el ser» (páginas 26-27). Y de lo mismo trata, con más claridad, en el ensayo *¿Qué es met.?,* donde escribe que «la metafísica clásica concibió la nada como *no ser,* esto es, como materia informe incapaz de llegar por sí misma a 'ser' y que no puede por tanto presentar una apariencia». Los cristianos, dice, negaron luego la clásica proposición «de la nada nada adviene», pues según ellos Dios extrajo el mundo de la nada, resultando así, otra vez, la Nada lo opuesto al Ser Supremo. Hegel, sigue diciendo, tampoco vio con claridad el problema. Mas para él, Heidegger, «la nada deja de ser la vaga oposición de lo que es, revelándose como una parte integral del ser de lo que es». Y por tanto, la vieja proposición debería, según él, cambiarse por otra que dijese: «Todo ser, en cuanto tal, proviene de la nada.» Lo cual quiere decir que el problema del ser es provocado por la nada.

En 1935, en el primer volumen de *Juan de Mairena,* escribía Machado: «Todo lo problemático del ser es obra de la nada» (p. 606). Aquí ya no se hace ninguna confusión de *nada* con *no ser.* Ya no dice, como en 1928, que es el *no ser* (queriendo decir *la nada*) lo que pone «sobre el tapete» el verdadero problema del ser: dice ahora, claramente, *la nada.* Es casi seguro que por entonces, 1935, había ya Machado leído *¿Qué es metafísica?* —la traducción de X. Zubiri, en *Cruz y Raya,* apareció en septiembre de 1933—, y más que probable que hubiera ya empezado a leer *Sein und Zeit.* Días antes aludía a Husserl y a Heidegger, sin nombrar a éste; y poco después le nombra por vez primera. Todo ello dos años antes de que dedicara a *Sein und Zeit* todo un artículo. La alusión que decimos a Husserl, ya antes citada, y Heidegger, se encuentra en estas líneas de 1935: «Juan de Mairena era un hombre de otro tiempo..., no tuvo noticia de este moderno resurgir de la fe platónico-escolástica en la realidad de los universales, en la posible intuición de las esencias... de los fenomenólogos de Friburgo. Mucho menos pudo alcanzar las últimas consecuencias del temporalismo bergsoniano, la fe en el valor ontológico de la existencia humana» (p. 600).

Machado parece interesado en hacer notar que él no había tenido noticia, cuando escribió el apéndice, del existencialismo de Heidegger. Y por ello agrega lo siguiente, que en parte ya antes citamos: «Porque de otro modo, hubiera tomado más en serio las fantasías poético-metafísicas de su maestro Abel Martín. Y aquel *existo, luego soy,* con que su maestro pretendía nada menos que enmendar a Descartes, le hubiera parecido algo más que una gedeonada, buena para sus clases de Retórica y de Sofística». A continuación recuerda algunas de esas «fantasías» de Martín. Y luego siguen varios fragmentos, íntimamente unidos entre sí —lo que no siempre ocurre— que aparecen bajo el siguiente título, muy significativo: *Mairena empieza a exponer la poética de su maestro Abel Martín* (pp. 602-607). Machado no hace ahí sino repetir gran parte de lo que en cuanto a su metafísica, en cuanto al ser y la nada, había ya dicho en el apéndice. Dice, por ejemplo, al comenzar, que lo que en último término determina el pensamiento metafísico, esa fe en lo nunca visto, llámese «el ser, la esencia, la sustancia», no es en verdad sino «la pura nada» (p. 502). Y agrega que «para el poeta», la nada es sobre todo «causa de admiración y extrañeza» (p. 603). Al poeta, «el ser poético... no le plantea problema... La nada, en cambio, sí. ¿Qué es? ¿Quién la hizo?...» Y estas preguntas no brotan sólo en su cabeza, «sino también en su corazón». Y a continuación dice, pensando seguramente otra vez en Heidegger: «Porque la nada es, como se ha dicho, motivo de angustia.»

No es difícil adivinar por qué Machado repite, tras años de silencio, lo que había escrito en el apéndice: leyendo a Heidegger debió sorprenderle la semejanza entre el pensamiento de éste y el suyo. A esta semejanza, y al asombro que ésta le producía, aludiría él, aunque modesta y discretamente, en más de una ocasión.

En 1935, Machado aparece ya libre de las confusiones que antes oscurecían la exposición de la metafísica de Martín o Mairena, pues si ahora ésta parece aún oscura, ello se debe, sobre todo, a lo conciso de sus explicaciones. Y entonces él trata, creo yo, de destacar la semejanza entre sus ideas y las de Heidegger, a la vez que sugiere que aunque no se hubiese ocupado explícitamente de la angustia, y en esto se diferenciaría por tanto de él, ésta se hallaba en verdad en el fondo de todo su pensamiento, y era algo que había originado ya sus versos primeros, como luego inspiraría su «metafísica de poeta». Esto lo indica en todo caso muy claramente en 1937, al ocuparse directamente de Heidegger, como vamos a ver. Pero ya en 1935 lo insinúa al escribir que esa nada, que hace «problemático el ser», es algo que «se ha introducido en nuestras almas muy tempranamente, y apenas hay recuerdo infantil que no la contenga» (p. 606). Dice *nada,* y no angustia. Pero él mismo había recordado, en el mismo artículo, que «la nada es, como se ha dicho, motivo de angustia» (p. 603). Nada y angustia se identifican. Y por ello, tras habernos dicho que el sentimiento de la nada se encuentra en casi todos sus recuerdos infantiles, como prueba de ello cita un viejo poema de *Soledades* que se refiere en efecto a un tal recuerdo infantil, pero en el que en verdad no se habla del sentimiento de la nada, sino de «angustia», de un abejorro que, junto a la fuente, mientras las niñas cantan, o en el techo, esperando, como dormido, parece materializar una latente angustia (pp. 606-607).

Machado pensaba que, como la suya, la metafísica de Heidegger era una metafísica de poeta, y por eso, cuando días después le nombra por vez primera, escribe: «Los filósofos... irán poco a poco enlutando sus violas para pensar, como los poetas, en el *fugit irreparabile tempus.* Y por este declive romántico llegarán a una metafísica existencialista, fundamentada en el tiempo; algo en verdad poemático más que filosófico. Porque será el filósofo quien hable de angustia, la angustia esencialmente poética del ser junto a la nada... Así hablaba

Mairena, adelantándose al pensar vagamente en un poeta a lo Paul Valéry y en un filósofo a lo Martín Heidegger» (pp. 626-627). Obsérvese que la última frase de esta última cita está mal construida. Para entenderla habría que suprimir la palabra «adelantándose», que tal vez le dictó el subconsciente, si es que no se trata de un error de imprenta.

Unos meses después, a mediados de 1936, apareció el volumen primero de *Juan de Mairena,* donde recogía los artículos que con regularidad había ido publicando durante poco más de un año en los periódicos de Madrid. Estalló en julio la guerra civil. En noviembre fue trasladado por el gobierno a Valencia, y días después se instaló con su familia (su madre, su hermano y varias sobrinas) en el pueblecito de Rocafort, cercano a Valencia. Desde allí fue escribiendo mes a mes, a partir de enero de 1937, los artículos que fue publicando en la revista *Hora de España,* y que ahora constituyen el volumen segundo de *Juan de Mairena.* Meses después, apareció en el número XIII de *Hora de España,* enero de 1938, el famoso artículo dedicado a Heidegger, que está fechado en diciembre de 1937.

Es en ese artículo donde, refiriéndose a los andaluces, pero pensando seguramente en él mismo, exclama: «¿Es que somos algo heideggerianos sin saberlo?» (página 790). Esta pregunta, muchas veces repetida por los críticos, ha dado lugar a diversas confusiones. Ella es la que puso en la pista a todos cuantos se han referido a una posible y vaga relación, nunca aclarada, entre el pensamiento de Machado y el de Heidegger. Generalmente se ha supuesto que si Machado era en cierto modo «heideggeriano», sin saberlo, era en sus poesías primeras —ya que esto él mismo lo indica— y que luego en sus prosas no hizo sino comentar el pensamiento de Heidegger.

Como lo que especialmente hace Machado en ese artículo es exponer *Sein und Zeit,* y en esta obra, como dijimos, no se habla mucho de la nada, de ella tampoco trata él; y como no recuerda nunca explícitamente lo que él había escrito en cuanto al ser y la nada en el apéndice —y, además, lo que había escrito ahí, o luego, en 1935, no se ha entendido— no se aclara que por lo que él resulta «algo heideggeriano» es por su «metafísica de poeta». Al exponer *Sein und Zeit* y referirse a la angustia heideggeriana, por las razones ya indicadas —queriendo introducir la pieza que faltaba para que la semejanza fuese realmente grande— cita unos versos de *Soledades* (las dos primeras estrofas del poema *En una tarde cenicienta y mustia...*, de p. 112), los cuales, según él, «pueden tener una inequívoca interpretación heideggeriana», pues hay en ellos «como una inquietud existencial *(Sorge)*, antes que verdadera angustia *(Angst)* heideggeriana, pero que va a transformarse en ella» (p. 791). De esto se ha deducido lo que Machado quiere que se deduzca, y en cierto modo es verdad: que él, con sus poemas, desde principios de siglo, era ya «algo heideggeriano». Mas el error está en creer que es sólo, o sobre todo, por eso. El error está en creer que el existencialismo de Machado consiste en la angustia que hay encerrada en sus poemas, especialmente los primeros, y no en una *meditación* sobre esa angustia, meditación posterior, angustiada seguramente, pero meditación. De ser sólo por sus poemas, lo mismo podría decirse de otros muchos poetas, empezando, en España, por Jorge Manrique, y no habría motivo alguno, pese a lo que Machado dijera, para hablar de él como especialmente heideggeriano.

Poesía y filosofía, aunque nazcan de la misma raíz, no son la misma cosa, ni siquiera cuando se trata de una filosofía existencialista. No es poesía, sino filosofía, una reflexión sobre el carácter de la poesía, como en Machado; ni aun cuando esa reflexión tenga como base, como Machado dice de la filosofía de Heidegger, «la angustia esencialmente poética del ser junto a la nada». Es al reflexionar, aunque sea con emoción, pero al *reflexionar* sobre la poesía, la angustia, la nada, el hombre, o lo que sea, cuando se filosofa, y no al experimentar angustia ni al expresar esa experiencia de angustia en términos poéticos que la hagan transmisible. El poeta canta, gime; el filósofo existencialista reconoce ese cantar, ese gemir como la auténtica, original situación del hombre. Y, por lo tanto, es con sus prosas, por su «metafísica de poeta» por lo que Machado puede ser considerado «algo heideggeriano», y aun mucho; y «sin saberlo», porque él meditó por su cuenta, sin tener, en efecto, noticia de Heidegger.

Machado hace una mediana exposición de *Sein und Zeit,* lo cual en 1937 era cosa aún mucho más difícil de lo que hoy es.

A la exposición de Machado, un poco confusa ciertamente, se mezclan, esbozadas tan sólo, algunas críticas. Aparte de ésa, a que ya aludimos al principio de este trabajo, de que Heidegger no tiene en cuenta al «otro» suficientemente, a Machado, como a muchos, le sorprende esa «paradójica» *libertad para la muerte.* En Machado, como en Heidegger, es junto a la nada como se revela la trascendencia del ser, ese dramático impulso hacia lo otro, hacia lo de más allá, que no encuentra nunca su meta. Pero le parece a él excesivo el intento grandioso de Heidegger de querer hacer de esa «libertad» algo heroico: «Por una vez intenta un filósofo —y había de ser un alemán quien lo intentase— darnos un cierto consuelo del morir en la muerte misma... No descendamos al fondo gedeónico que esta filosofía, como tantas otras, muestra en su parte constructiva... Donde Heidegger pone un sí rotundo de resignación, pone nuestro don Miguel un no casi blasfematorio ante la idea de una muerte que reconoce, no obstante, como inevitable» (pp. 792-193). No sé yo si es muy cierto que Heidegger presenta esa «libertad para la muerte» como «consuelo», y no como un hecho, ya que hay trascendencia y muerte, y ambas cosas se descubren juntas, al revelarse la autenticidad del *Dasein,* en la angustia. Pero, en todo caso, Machado eso dice, y no es él sólo. Por otra parte, Machado recomienda a sus discípulos, fiel a su posición de escéptico, tomar ésa, como otras filosofías, en serio, sí, mas no sin cierta distancia o «ironía» (p. 795). Y, además, recordando su nostalgia de razón de otras veces, mira no sin recelo ese «nuevo humanismo, tan humilde y tristón como profundamente zambullido en el tiempo... Los que buscábamos en la metafísica una cura de eternidad, de actividad lógica al margen del tiempo, nos vamos a encontrar... definitiva y metafísicamente cercados por el tiempo» (pp. 796-797). Esta es, en esencia, la misma crítica que hace a Heidegger A. de Waelhens, y hacen otros, cuando afirman que Heidegger en verdad cierra el camino a toda verdadera metafísica. Pero claro es que esa misma crítica podía aplicarse al propio temporalismo de Machado, a su propia «metafísica», tal como él la expone en el apéndice, donde tanto se aleja de toda «actividad lógica».

Dice Julián Marías, en «Machado y Heidegger» (Suplemento de *Insula,* 15 oct. 1953) que «con toda probabilidad, Machado no había leído *Sein und Zeit*». La base para la exposición «sumamente pobre» aparecida en el número XIII de *Hora de España* debió ser el «pequeño manual de Georges Gurvitch... *Las tendencias actuales de la filosofía alemana,* Madrid, 1931». Y como prueba se ofrece una confrontación de textos, bastante convincente. Pudo Machado, pienso yo, conocer la obra de Heidegger, aunque utilizase para su exposición el manual de Gurvitch. Mas aunque no la conociera, ello nada afecta, claro es, a cuanto aquí hemos dicho. Nos hemos esforzado en mostrar que el pensamiento de Machado, en lo esencial, está ya expresado en la primera parte del apéndice, publicada en 1926, y que es anterior, por tanto, a la obra de Heidegger. A lo que Marías se opone es a la «creencia dominante» de que hay una «influencia efectiva de Heidegger sobre Machado». Mas ya antes advierte que «si se trata de ver en qué medida ciertos temas o intuiciones son comunes a ambos», y «si las adivinaciones poéticas de Machado muestran alguna afinidad con la doctrina de Heidegger, la cuestión es interesante y acaso fecunda». Interesante es la cuestión, desde luego, pues existe sin duda una cierta afinidad y numerosas coincidencias, aunque también diferencias grandes. Y existe por lo menos un tema, el referente al ser y la nada, en que la coincidencia es sorprendente. Cosa extraña y lamentable es que Marías, que como pocos está capacitado para hacer la comparación que nosotros hemos intentado, no haya, al parecer, reparado en esa coincidencia. Y, en relación con este punto, alguna «influencia efectiva» debió haber, sin embargo, *a posteriori,* de Heidegger sobre Machado, según ya dijimos, pues no debe ser casual que en 1935, en *Juan de Mairena,* cuando Machado le alude en más de una ocasión, clarificara lo dicho en el poema *Al gran cero* y en otras partes del apéndice en cuanto al ser y la nada, sin vacilar ya ni confundir no-ser con *nada;* esto es, que hablara entonces ya claramente de la *nada* como origen de la pregunta por el ser: igual que hace Heidegger en el ensayo *¿Qué es metafísica?,* que Machado debió leer, en español, en 1933. Antes de comenzar esa exposición nos dice: «Para penetrar y hacer cordialmente suya esta filosofía de Heidegger, Mairena, por lo que tenía de bergsoniano, y, sobre todo de *poeta del tiempo* —no precisamente del suyo— estaba muy preparado» (p. 788). Siguiendo esta indicación, y alguna otra del propio Machado, se ha hablado también del «temporalismo» de nuestro poeta, y se ha insinuado que es en esto en lo que consiste verdaderamente el parecido entre él y Heidegger. Ello sin duda es cierto, pero necesita ser precisado, pues no hay que olvidar que Machado no hace en ningún momento un análisis metódico del *Dasein,* y que, por tanto, la «temporalidad» que como reconcentrada esencia de ese análisis Heidegger descubre como «sentido» de la preocupación o inquietud, de la «cura»; la tensión de la «temporalidad» que Heidegger descubre como «sentido del ser del ente que llamamos Dasein», no es lo mismo que esa mucho más simple *temporalidad,* a que Machado, como vamos a ver, se refiere al hablar de la poesía. Aunque, claro es, en último término ambas tengan que ver con la angustia por el paso del tiempo. No se parecen ellos tanto por lo que escriben de la «temporalidad» o de la «angustia» como por lo que escriben de la «nada», del ser y de la nada, lo cual es cosa que nadie ha destacado. Mas es evidente que entre los sentimientos de nada, angustia y tiempo hay siempre íntima dependencia.

Como es la nada, revelada en la angustia, lo que despierta la pregunta por el *ser,* sólo el hombre desde el fondo de sí mismo, donde encuentra la angustia, puede plantearse esa pregunta e intentar responderla; esto es, que la *metafísica sólo es posible de un modo existencial*: eso viene a decir Heidegger, creo yo, y en eso consiste su existencialismo, si es que de existencialismo puede hablarse tratando de Heidegger[14]. Y eso viene a decir Machado también, que creía, además, que *ese modo existencial de enfrentarse al problema del ser lo lograba sobre todo el poeta,* el cual sintiendo la emoción del tiempo escribe poesía «temporal», y así adquiere conciencia de su propio ser, de su verdadera y trágica situación en el mundo. Esta convicción, que expresa en el apéndice, es lo que constituye su filosofía existencialista, su «metafísica de poeta», ese pensamiento suyo que, como él advertía en 1935, no era sino una «meditación sobre el trabajo poético» (p. 600). Ya señalamos el hecho significativo de que en la segunda parte del apéndice «La metafísica de Juan de Mairena» sea una breve sección que no sólo sigue a la que se titula «El arte poético de Juan de Mairena», sino que en verdad es sólo un comentario de ella, aunque a primera vista parezca que entre ambas no hay relación alguna, ya que primero se trata de la «temporalidad» en la poesía, en oposición al concepticismo barroco, y luego de la «pura nada» y del «asombro» del poeta ante esa nada.

De la poesía fue Machado a la filosofía; pero filosofando descubrió —y de ahí su existencialismo— que ese sentimiento del cual arranca la poesía —al menos la poesía «temporal»— era, o debía de ser, la raíz de toda auténtica filosofía. Y en esto viene a coincidir con Heidegger, que por otros caminos viene a decir lo mismo, ya que éste quiere partir de la existencia auténtica, de la raíz del hombre, de la angustia, para emprender la peregrinación en busca de las verdades metafísicas[15].

10. La poesía temporal. Conclusiones

Lo que Machado había escrito en el apéndice en cuanto al poeta y las apariencias, lo repite en *Juan de Mairena:* el filósofo puede dudar de la realidad del mundo externo, pero el poeta no, ya que «nadie duda de lo que ve, sino de lo que piensa», y «para el poeta sólo hay *ver*». Por eso la poesía es «un acto vidente, de afirmación de una realidad absoluta, porque el poeta cree siempre en lo que ve» (p. 601). El ser poético «se revela o se vela; pero allí donde aparece, es». Dicho ser poético no le plantea al poeta «problema alguno», es decir, no plantea el problema de su realidad; pero «la nada, en cambio, sí» (p. 603). Es la nada lo que convierte cuanto es, o cuanto aparece, en problemático. Y por eso canta el poeta: por el asombro de la nada, al ver proyectado el ser sobre la nada. Lo que el poeta contempla aparece, gracias a la nada, erguido momentáneamente sobre el vacío, milagrosamente sostenido, yendo a su destrucción. Y el poeta mismo se siente temporalmente, sólo temporalmente, flotando sobre vacío, yendo también a su destrucción. Y así el poeta canta el brillo de unos ojos que un día han de eclipsarse, los cabellos que habrán de encanecer, el crepúsculo cuyos colores se extinguen. Canta porque el tiempo pasa y lleva todo a la nada. «¿Cantaría el poeta sin la angustia del tiempo?», preguntaba meses antes Machado, por boca de Mairena. Y agregaba que es «la poesía como diálogo del hombre con el tiempo» (páginas 478-479). Y poco más adelante, en 1935: «Sin el tiempo... el mundo perdería la angustia de la espera y el consuelo de la esperanza. Y el diablo ya no tendría nada que hacer. Y los poetas tampoco» (p. 565). Y dos años después, en el volumen segundo de *Juan de Mairena:* «Sólo en silencio, que es, como decía mi maestro, el *aspecto sonoro de la nada,* puede el poeta gozar plenamente del gran regalo que le hizo la divinidad, para que fuese cantor, descubridor de un mundo de armonías» (p. 728). Sabemos ya que ese regalo no es sino la nada, el sentimiento de la nada; o el del tiempo, que lleva a ella. Y muy poco antes de morir aún escribía que el «encanto melódico» de la vida es el de «su acabamiento», encanto que «se complica con el terror a la mudez» (p. 777).

No puede, pues, caber duda de que Machado, en sus últimos años pensaba que la intuición de la nada, y la consiguiente emoción ante el paso del tiempo, era lo que determinaba la poesía. Pero eso es también lo que él mismo había dicho en el apéndice, no sólo al tratar de la metafísica de Martín o de Mairena, sino al tratar del «arte poética», en la segunda parte, esto es, al tratar de la «temporalidad» en la poesía.

Hay «temporalidad» en los poemas de Machado no como pudiera creerse, y el propio Machado parece indicar, sólo porque se aluda en ellos al paso del tiempo; ni tampoco por el carácter rítmico, melódico, de sus mejores versos. Estos son tan sólo medios obvios, y muy necesarios, de poner de manifiesto la «temporalidad» que debe tener la poesía.

Temporalidad es emotividad. Poesía temporal quiere decir en Machado en último término poesía emotiva. Poesía escrita con una emoción cuya raíz se halla en el sentimiento del tiempo o, si se prefiere, de la nada. Por eso en dicha «arte poética» condena Machado la

113

poesía barroca española (lo cual hace pensando, a la vez, en los poetas *puros,* neogongorinos, de hacia 1927), acusándola de excesivamente artificiosa, de fría e intelectual, y pone como ejemplo de esa poesía el soneto «A las flores» de Calderón; y, en cambio, en las mismas páginas, se ensalza la famosa estrofa de Jorge Manrique: «¿Qué se hicieron las damas / sus tocados, sus vestidos / sus olores...?», pues «la emoción del tiempo es todo en la estrofa de don Jorge; nada, o casi nada, en el soneto de Calderón» (pp. 392-393). Y ello aunque en ambos el tema sea el mismo, esto es, «la fugacidad del tiempo y lo efímero de la vida humana» (p. 390). Y es que en el soneto «conceptos e imágenes conceptuales —pensadas, no intuidas— están fuera del tiempo psíquico del poeta, del fluir de su propia conciencia» (p. 391). Por eso, agrega, Calderón «no canta, razona, discurre en torno a unas cuantas definiciones». Y, en cambio, Manrique habla de una vivida experiencia; no de «cualesquiera damas, tocados, fragancias y vestidos, sino aquellos que, estampados en la placa del tiempo, conmueven —¡todavía!— el corazón del poeta» (p. 392). Y por eso, digo ahora yo, si no hay poesía temporal por el simple hecho de aludirse al paso del tiempo, puede, en cambio, haberla aunque no se aluda a él.

Al señalar las características del «barroco literario español», dice poco más adelante Machado que una de éstas es su «carencia de temporalidad». Y con ello quiere decir que hay en esa poesía «preponderancia del sustantivo y su adjetivo definidor sobre las formas temporales del verbo; el empleo de la rima con carácter más ornamental que melódico y el total olvido de su valor mnemónico» (p« 396). Esto podría hacer creer, y así algunos lo han creído, que lo que Machado entiende por «temporalidad» es el uso de esas «formas temporales» del verbo, o sea las que más aluden al paso del tiempo; y, por otro lado, el empleo de las rimas con valor melódico. Mas lo que él quiere en verdad decir es que esa carencia de elementos que él llama «temporales» en el poema, de elementos que sugieren el paso del tiempo, es un cierto indicio de la frialdad y artificiosidad del poema, de su falta de emoción, esto es, de su esencial falta de temporalidad. Y así, aunque el poema tuviera esa aparente «temporalidad», lograda con medios técnicos, de nada ello valdría si faltara la emoción del tiempo, si faltara la verdadera *temporalidad*. Por eso Mairena, que «se llama a sí mismo *el poeta del tiempo*» (p. 388), refiriéndose a «medida, acentuación, pausa, rimas», afirma que «el poema que no tenga muy marcado el acento temporal estará más cerca de la lógica que de la lírica». Pero inmediatamente agrega esto, que es lo verdaderamente importante: «La temporalidad necesaria para que una estrofa tenga acusada la intención poética está al alcance de todo el mundo; se aprende en las más elementales preceptivas. Pero una intensa y profunda impresión del tiempo sólo nos la dan muy contados poetas» (p. 389). Y en la misma página, líneas antes, se dice que «es el tiempo (el tiempo vital del poeta con su propia vibración) lo que el poeta pretende intemporalizar, digámoslo con toda pompa: eternizar».

Y así vemos que lo importante, en definitiva, es «el tiempo vital del poeta», esa «intensa y profunda impresión del tiempo», es decir, lo importante es la «emoción del tiempo». Y en tal emoción reside la «temporalidad» de la poesía, de que Machado tanto habla. Y por eso hemos calificado de poesía «temporal» esa que nace de un sentimiento de angustia ante el paso del tiempo, ante el desvanecimiento de las cosas, ante la nada. En diversas ocasiones, sin embargo, se refiere Machado a «temporalidad» entendida como fluidez y movilidad —eco bergsoniano— en oposición a rigidez; o bien como equivalente a historicidad en oposición a una pretendida «intemporalidad» de la poesía abstracta, intelectual. Pero siempre, en último término, lo que se quiere destacar es el indispensable contenido emotivo, «temporal» de la verdadera poesía lírica. «La lírica... debe darnos la sensación estética del fluir del tiempo. Es precisamente el flujo del tiempo uno de los motivos líricos que la poesía trata de salvar del tiempo, que la poesía pretende intemporalizar», escribía en *Los Com-*

plementarios (Cuad. Hispanoam., sept.-dic. 1949, página 258). Por eso en su «gramática lírica» el verbo era lo importante, como decía en un poema (p. 346). Y por eso desdeñó siempre los «laberintos de imágenes y conceptos» de los «poetas jóvenes», ya que «la lírica ha sido siempre una expresión del sentimiento...», como escribía a *Guiomar* (cf. *De Machado a su grande y secreto amor,* p. 62), lo cual repetiría en diferentes ocasiones.

Podría pensarse que esa poesía «temporal» preconizada por Machado en *El arte «poética» de Juan de Mairena* es diferente de esa otra poesía social, futura, a que se alude, al final de la misma segunda parte del apéndice, en el diálogo entre Mairena y Meneses. Mas no es así, ya que Meneses, si bien se refiere a una lírica que habrá de trascender del «yo aislado, acotado, vedado al prójimo», destaca también el carácter emotivo, «temporal», de la misma al advertir que «no hay lírica que no sea sentimental» (p. 405); y aunque en esa poesía futura el poeta prescindiera «de su propio sentir..., anota el de su prójimo y lo reconoce en sí mismo como sentir humano» (p. 410). Y ésa era la poesía de Machado; poesía hija de la soledad, brotada de la contemplación de lo que aparece, de lo otro; fruto de un apasionado diálogo del hombre con el mundo y con el tiempo. Poesía que implica un entrañable planteamiento del problema del *ser;* y por eso la metafísica existencialista de Mairena, una metafísica que se quiere arranque, como en Heidegger, del original asombro ante las cosas, no es en definitiva sino una exaltación del valor de la poesía «temporal» como medio de conocimiento; conocimiento al menos de nuestro propio e íntimo ser. La «metafísica» de Machado no es, en último término, sino una justificación de sus ideas sobre la poesía, un comentario a su mejor poesía.

Veamos ahora, en resumen, cuanto hemos dicho. El punto de partida del pensamiento de Machado está en sus *Soledades,* en ese como pasmo del alma —alma asombrada ante las cosas, ante los recuerdos, ante sí misma— de que él nos habla en ese libro. Partió de esas primeras experiencias de su niñez y adolescencia —ese melancólico sentirse solo en el mundo— y a ellas volvería. En *Campos de Castilla,* ya en su madurez, frente al paisaje y los hombres, enamorado, queriendo escapar de su soledad, busca una poesía «objetiva». Pero el año que publica ese libro, 1912, muere su esposa y Machado vuelve a sentirse solo, irremediablemente solo. Sin embargo, no se resigna. La musa se aleja y se hunde en la filosofía. Adopta una actitud displicente, irónica. Le falta Dios. Mas en el fondo de su corazón aún espera. Sueña en una razón salvadora, objetiva, que hiciera posible la comunicación de los espíritus. Reconoce, más tarde, que es en el amor, sobre todo, en la fraternidad cristiana, donde podría hallarse la salvación: en una apasionada comunión de las almas. Su vena poética se ha ido debilitando cada vez más. Y ahora siente la necesidad, aunque no sin timidez, no sin reservas, de escribir sobre todo aquello que durante años le había estado obsesionando sin cesar.

En el apéndice recoge varias de sus ideas, reflexiones, comentarios; pero a la vez agrega algo que no estaba en sus escritos anteriores. Vuelve ahora la espalda a la razón, a la filosofía clásica. Se acentúa el influjo de Bergson; pero él siente que tiene algo que decir, algo nuevo que aún es confuso en su mente. La confusión la acentúa él exponiendo sus ideas con el mayor desorden posible. Y el fondo trágico de su pensamiento queda oculto bajo una capa de humor en que se envuelve por horror a lo melodramático y por desconfianza de sí mismo y de su propio pensamiento. El acento lo pone ahora, decididamente, en el amor, en la necesidad que del *otro* tenemos; pero ese otro no está tal vez sino en nuestro propio corazón: lo único cierto es la «heterogeneidad del ser», esa *otredad* inmanente, sin salida, ese deseo de amor nunca satisfecho. Llega un momento en que se descubre que la soledad es irremediable. La filosofía tal vez no pueda consistir, en último término, sino en darse cuenta de eso. Para el poeta, en cambio, al parecer, no hay problema, pues él no se propone conocer, sino amar, y ama como real lo que ante él aparece; mas el problema para él está en la desaparición de eso que aparece: el problema está en el tiempo, en la nada. Es precisamente la nada, es el tiempo, lo que hace brotar la poesía. Y lo que el poeta siente es lo mismo que el filósofo descubre cuando éste se desprende del andamiaje intelectual con el que oscurecía el sentimiento que dio origen a la filosofía: que la nada es el fundamento de todo. Al sentir la heterogeneidad sin objeto de nuestra alma nos sentimos solos, solos en medio del mundo y llenos de deseos, caminando hacia la muerte ante un mundo que se desvanece. Poesía y filosofía no son la misma cosa, pero brotan de un mismo sentimiento original. El poeta es más fiel que el filósofo a esta emoción original, que él reproduce cada vez que, angustiadamente, canta el mundo que contempla. Y la filosofía debe volver a encontrar sus raíces acercándose a la poesía. Sólo por la poesía, o con esa nueva, poética, filosofía existencial que él intuye, nos daríamos cuenta de lo que somos, recobrando así nuestra intimidad, nuestro propio ser, nuestro espíritu, hecho de angustia por el tiempo y ansia de lo otro, de lo desconocido: de asombro ante la nada y heterogeneidad, de angustia en la soledad y trascendencia; esto es, impulso hacia un más allá que no alcanzamos.

Pero lo típico de Machado, tanto como su honda melancolía, es no abandonar nunca del todo, aun creyendo sobre todo en la nada, una ardiente, aunque vaga, una remota esperanza de salvación para todos. Por eso la primera parte del apéndice, tras el poema «Al gran cero», acaba con el poema «Al gran pleno», de exaltación vital, panteísta. Y la segunda parte, tras la desolada metafísica de «la pura nada» de Mairena, termina con las esperanzadoras palabras de Meneses en cuanto a los poetas del mañana, que cantarán sentimientos colectivos, libres ya del narcisismo, del romanticismo o barroquismo de los poetas actuales.

Pensando no ya en el apéndice, sino en la obra toda de Machado, creo puede también decirse que ésta, esencialmente melancólica, no es sino un intento de escape de la soledad, una desesperada búsqueda de salvación.

En no pocos de sus poemas, de cualquier época, se percibe, creo yo, una nota que es siempre la misma, una ilusión «cándida y vieja», como viento de primavera que quisier alevantarse de los campos de nieve, o ilusión que en un vuelo quisiera desprenderse de la tristeza y de la muerte. Ya en *Soledades* él cantaba:

> En el ambiente de la tarde flota
> ese aroma de ausencia,
> que dice al alma luminosa: nunca,
> y al corazón: espera (p. 48).

Y un sentimiento muy parecido expresaría él en sus poemas otras muchas veces [16]. Mas esa esperanza que el corazón mantiene, ese como buen presagio más allá de la razón, ¿no es acaso lo que aparece también constantemente en las prosas de Machado, con sus siempre renovadas apelaciones al «hombre nuevo», a la fraternidad y al amor, así como a la razón salvadora y a la objetividad? Y es que el pensamiento de Machado, como su poesía, es triste, pero él no quería en modo alguno que lo fuese.

«Hay que buscar razones para consolarse de lo inevitable», escribía en 1935 en una última carta, tristísima, a su amada *Guiomar,* de la que había tenido que separarse. Y por esos mismos días, cuando él se muestra en sus escritos, no sin razón, especialmente grave; por esos días en que estaba leyendo a Heidegger, y así reafirmaba sus más amargas convicciones, escribía en *Juan de Mairena:* «Porque —todo hay que decirlo— nuestro pensamiento es triste, y lo sería mucho más si fuera acompañado de nuestra fe, si tuviera nuestra íntima adhesión. ¡Eso nunca!» (p. 707). Estas palabras quizá sean, de todas cuantas de él he leído, o le oí decir, las que mejor le retratan.

La inconformidad de Unamuno con la muerte tenía un acento recargadamente trágico, que él quería que tuviera. Machado, en cambio, nunca clama: su tono es el de la melancolía, no el de desesperación. Machado lo que no aceptaba era, precisamente, su honda y verdadera tristeza, su profunda y muy justificada melancolía. Él amaba a los otros, miraba a los otros. Él miraba siempre hacia el mañana, aunque tras éste no viera sino la nada. Muy significativo es que uno de sus últimos poemas, antes de la guerra, ése con el que suelen cerrarse las últimas ediciones de sus *Poesías completas,* el llamado «Otro clima», aluda al «mundo nuevo», a las luchas que se avecinan:

> el tiempo lleva un desfilar de auroras
> con séquito de estrellas empañadas...

Pero más allá de «la selva huraña», donde percibe «torsos de esclavos jadear desnudos», aparece *un nihil de fuego escrito;* más allá del previsible futuro está la nada. Sin embargo, en ese futuro ponía él sus ojos.

Ese querer elevar la mirada y levantar una esperanza por encima de la pena, aunque la nada esté detrás, es lo que distingue a él, tan noventaiochista en otros aspectos, de sus compañeros todos de generación.

La vida toda de Machado, sus ideas, su modo de hablar, su físico, sus amores: todo estaba en perfecta consonancia con lo que es su mejor poesía, y ésta con su filosofía. Machado era sólo uno. Era un solitario que había mirado a los ojos de la Esfinge, un triste que tenía el corazón lleno de amor y de piedad para los otros. Fue un gran poeta; un pensador también, no metódico, pero sí profundo. Y fue, sobre todo, un hombre bueno.

Notas

[1] El apéndice tiene dos partes: *De un cancionero apócrifo (Abel Martín)* y *Cancionero apócrifo. Juan de Mairena*. La primera, antes de aparecer junto a las *Poesías completas,* se publicó en los números 35 y 36, mayo y junio de 1926, de la *Revista de Ocidente* (t. XII, pp. 189-203 y 284-300). Interesa hacer constar, por la razón que luego se verá, que al menos la primera parte se había escrito antes de que, en 1927, se publicara *Sein und Zeit* de Heidegger.

Juan de Mairena es una obra de dos volúmenes. El primero, aparecido en 1936, estaba formado por artículos publicados en *Diario de Madrid* y *El Sol,* de fines de 1934 a principios de 1936. El segundo volumen se ha formado después de la muerte de Machado con los artículos que éste publicó en la revista *Hora de España,* en Valencia y Barcelona, de enero de 1937 a fines de 1938, es decir, hasta poco antes de su muerte. En este estudio no nos ocupamos sino de los fragmentos de carácter filosófico de *Juan de Mairena*.

Hemos usado la edición de *Obras* (México, Séneca, 1940), que es la más completa. Todas las citas en el texto, cuando no se indique otra cosa, y el número de la página, que va entre paréntesis, siguiendo a estas citas de Machado, se refieren a dicha edición, que incluye las poesías (pp. 37-353), la primera parte del apéndice (pp. 353-385), la segunda (pp. 386-411), algunas poesías sueltas (pp. 411-439), el volumen I de *Juan de Mairena* (páginas 443-721), y el segundo, más alguna obra suelta de sus últimos años (pp. 725-901).

[2] Aunque se refiera, en este caso, a una particular experiencia,

121

no cabe duda que, además, se refiere a ese mismo sentimiento de que tantas veces nos habla en *Soledades;* a esos melancólicos atardeceres, uno igual a otro, que tantas veces recuerda: «Recuerdo que una tarde de soledad y hastío, / ¡oh, tarde como tantas!... ¡Oh, el alma sin amores que el Universo copia / con un irremediable bostezo universal!» (p. 88).

[3] Véase Concha Espina, *De Antonio Machado a su grande y secreto amor* (Madrid, 1950), donde se reproducen los autógrafos de cartas de Machado a su amante *Guiomar.* Las cartas, sin fecha, están escritas en su mayoría desde Segovia, alrededor del año 1930. La última parece ser de 1935. De ese amor nada se sabía, aunque podía haberse sospechado por los poemas que a *Guiomar* dedicó Machado, ya en 1929, en *Revista de Occidente* (n. 75). En una de las cartas escribe: «En mi corazón no hay más que un amor... Tu poeta no te miente, no podría hacerlo aunque quisiera... El secreto es sencillamente que yo no he tenido más que éste. Ya hace tiempo que lo he visto claro. Mis otros amores sólo han sido sueños... Solamente el recuerdo de mi mujer queda en mí, porque la muerte y la piedad lo ha consagrado...» (p. 34). Las cartas de Machado a *Guiomar,* llenas de candor y de pasión —diríanse cartas de adolescente, aunque cuando encontró a *Guiomar* debía él ya tener cincuenta años cumplidos—, si bien no sirven, claro es, para descifrar su pensamiento filosófico, sirven, y mucho, para ayudar a entender a Machado. El alma ansiosa de amor que en ellas se revela es la misma que se revela en el fondo del irónico apéndice.

[4] «La combinaison du scepticisme et du fidéisme est classique et de tous les temps» (*La philosophie au moyen âge,* 3.ª ed. [París, 1947], p. 655).

[5] En más de una página de *Campos de Castilla* se alude a Unamuno, y en otras se percibe un eco de él. «Siempre te ha sido, ¡oh Rector / de Salamanca!, leal / este humilde profesor / de un instituto rural. / Esa tu filosofía... / gran Don Miguel, es la mía», se lee en «Poema de un día» (p. 211), de 1913. En febrero de 1937, a raíz de la muerte de Unamuno, se refería a los cuatro «Migueles ilustres y representativos» de España, esto es, Cervantes, Servet, Molinos y Unamuno (p. 743). Y por esos mismos días, y después, más de una vez, le oyó quien esto escribe, en conversación privada, manifestar hacia Unamuno el mismo respeto y admiración que había expresado en sus escritos, si no mayor.

[6] En la misma página escribe Laín Entralgo: «Su idea de Dios —Dios como realidad ínsita en el hombre y como creación inmanente del espíritu humano que le busca— tiene tal vez una raíz en el pensamiento de Unamuno y coincide extrañamente con la concepción scheleriana de la divinidad.»

[7] «Dios se le vuelve una pura creación del hombre — 'El Dios que todos hacemos', el Dios del primer Bergson y del último Scheler, el Dios de un cierto Unamuno...», escribe José L. Aranguren en su artículo «Esperanza y desesperanza de Dios en la

122

experiencia de la vida de Antonio Machado». Y al terminar el mismo: «Si por religiosidad se entiende la fe en un Dios trascendente, su peregrinar espiritual consistió en un fluctuar entre escepticismo e inconcreta creencia, entre desesperanza y esperanza» (cf. *Cuad. Hisp.*, núms. 11-12, pp. 393 y 396).

[8] Cf. «El paisaje en la poesía», *Clásicos y modernos* (Madrid, Renacimiento, 1913, pp. 123-124).

[9] Cf. *Cuad. Hispanoam.*, marzo-abril 1951, p. 172.

[10] Ya hacia 1914, en un poema, advertía «que en el inmenso espejo, / donde orgulloso me miraba un día, / era el azogue lo que yo ponía» (p. 242). En uno de esos «Proverbios y cantares», fechados en 1919, se refiere al «feo y ya viejo vicio» del narcisismo (p. 302). Y en otro dice: «No es el yo fundamental / eso que busca el poeta, / sino el tú esencial» (p. 308).

[11] Dicho discurso apareció en el número extraordinario dedicado a Machado de la *Revista Hispánica Moderna* (enero-diciembre, 1949), publicado en 1951. Aunque no va fechado, como Machado fue elegido académico en 1927, y comienza diciendo «Perdonadme que haya tardado más de cuatro años en presentarme ante vosotros», por eso digo debió escribir esas notas, que creo nunca llegó a leer en la Academia, en 1931.

[12] Cf. *El ser y el tiempo,* trad. por José Gaos [México, Fondo de Cultura Económica, 1951], pp. 428 y 21.

[13] *La philosophie de Martín Heidegger,* 3.ª ed., Louvain, 1948.

[14] Heidegger mismo ha protestado contra el hecho de que se le incluya entre los existencialistas, ya que su análisis de la existencia lo considera él sólo como una base para enfrentarse a los problemas del ser en general. La filosofía de Heidegger, en *El ser y en el tiempo,* es una «analítica existenciaria». Mas como el objeto inmediato de su interés es la existencia, e incluso en *¿Qué es metafísica?,* al abordar el problema de la pregunta por el ser, relaciona íntimamente esa pregunta, el problema del ser en general, con la existencia que —al experimentar la nada— hace la pregunta, bien pudiera Heidegger ser llamado *existencialista,* sin olvidar por ello las diferencias entre él y otros existencialistas menos analíticos y más directamente derivados de Kierkegaard. Unos y otros existencialistas, en todo caso, ponen el énfasis en la existencia concreta del ser que filosofa, sean luego o no las angustias y problemas de ese ser existente base para posteriores especulaciones metafísicas. Pero, claro es que entendido de ese modo el existencialismo —un filosofar con el corazón, y no sólo con la cabeza—, ni el existencialismo es cosa nueva ni hay fronteras muy claras entre filosofía existencial, religión y poesía. Y no sólo Kierkegaard, sino San Agustín, Lutero, Calvino, San Juan de la Cruz, Pascal, Jorge Manrique, Rilke, Antero de Quental, Nietzsche o Leopardi son, con Unamuno, profundos existencialistas.

[15] El mismo Heidegger, como otros filósofos, se ha referido a la hermandad profunda entre el filósofo —el filosófico que,

como él, arranca de la existencia auténtica— y el poeta. Al terminar el «Potscript» agregado a *¿Qué es metafísica?*, escribe: «The thinker utters Being. The poet names what is holy» *(Existence and Being,* p. 391). Y en el mismo libro, en el ensayo «Hölderlin and the Essence of Poetry» decía años después: «... the poet speaks the essential word... Poetry is the establishing of being by means of the word» (p. 304).

[16] Escribía, por ejemplo, en *Soledades:* «Fue una clara tarde de melancolía, Abril sonreía... / ... el viento traía / perfume de rosas, doblar de campanas...» (p. 81). Y en el famoso poema «A un olmo seco», de *Campos...,* poema que fecha en «Soria, 1912», y que debió escribir en la primavera de ese año, no lejos de su esposa enferma, poco antes de que ésta muriera: «Mi corazón espera / también, hacia la luz y hacia la vida, / otro milagro de la primavera» (p. 194). Como dice acertadamente Aranguren en su mencionado ensayo: «Machado vacila, fluctúa, va y viene una y otra vez de la esperanza a la desesperanza, de la desesperanza a la esperanza.»

Indice

Colección Universitaria de Bolsillo
PUNTO OMEGA

142. Eduardo Baselga: **Los drogadictos.**
143. Carlos Areán: **Treinta años de arte español.**
144. G. Duncan Mitchell: **Historia de la sociología, I.**
145. A. López Quintás: **El pensamiento filosófico de Ortega y D'Ors.**
146. L. García Ballester: **Galeno.**
147. Martín Alonso: **Segundo estilo de Bécquer.**
148. Luis Bonilla: **Las revoluciones españolas en el siglo XVI.**
149. Gérard Bonnot: **Han matado a Descartes.**
150. Pascual Jordan: **El hombre de ciencia ante el problema religioso.**
151. Emilio Beladiez: **El Oriente extremoso.**
152. Jean-Paul Harroy: **La economía de los pueblos sin maquinismo.**
153. Auer, Congar, Böckle, Rahner: **Etica y medicina.**
154. Claude Mauriac: **La aliteratura contemporánea.**
155. Emilia N. Kelley: **La poesía metafísica de Quevedo.**
156. J. Stuart Mill, H. Taylor Mill: **La igualdad de los sexos.**
157. John Eppstein: **¿Se ha vuelto loca la Iglesia católica?**
158. E. O. James: **La religión del hombre prehistórico.**
159 y 160. José Acosta Montoro: **Periodismo y literatura, I y II.**
161. Amando de Miguel: **Diagnóstico de la Universidad.**
162. Martín Almagro: **Introducción al estudio de la Prehistoria y de la Arqueología de Campo.**
163. Paul Ramsey: **El hombre fabricado.**
164. G. Duncan Mitchell: **Historia de la sociología, II.**
165. G. Durozoi - B. Lecherbonnier: **El surrealismo.**
166. André Rey: **Conocimiento del individuo por los tests.**
167. Pedro Sánchez Paredes. **El marqués de Sade.**
168 y 169. Ramón Gómez de la Serna: **Automoribundia.**
170. José Luis Cano: **Poesía española contemporánea. Las generaciones de posguerra.**
171. Carlos Longhurst: **Las novelas históricas de Pío Baroja.**
172. Henri Lefebvre: **Marx.**
173. Antonio Gallego Morell: **Angel Ganivet.**
174. Giacomo Lauri-Volpi: **Voces paralelas.**
175. T. Navarro Tomás: **Manual de entonación española.**
176. W. Clarke - G. Pulay: **El dinero en el mundo.**
177 y 178. Margot Berthold: **Historia social del teatro.**
179. A. Sánchez Barbudo: **El pensamiento filosófico de Antonio Machado.**
180. A. Hauser: **Fundamentos de la sociología del arte.**
181. G. Gurvitch: **Proudhon.**
182. I. C Jarvie: **Sociología del cine.**